A Guide to Middle-earth:
Tolkien's Fantasy Land

arte

J.R.R. Tolkien의 삶과 가운데땅의 판타지

소설『호빗』과『반지의 제왕』은 영국의 문헌학자 J.R.R. 톨킨이 쓴 동화 및 영웅 모험담이다. 두 작품 다 출간된 지 60년이 지났으나 지금도 전 세계에 신선한 감흥과 감동을 주고 있다.

고유한 신화와 역사를 가진 가상의 세상을 만들고 그 안에서 즐거움을 찾는 행위를 톨킨은 '신화창조(mythopoeia)'라고 명명했다. 세밀하고 일관된 세상을 구축하는 '신화창조'는 환상 문학의 현실 풍자적 성격에서 벗어나 순수한 창작의 즐거움을 추구하는 것이 특징이다. 톨킨이 구축한 이 문학 장르는 이후 20세기와 21세기에 걸쳐 소설, 영화, 게임, 음악 등 다양한 분야로 확산되었다. 이 때문에 톨킨의 작품들은 단순한 환상 문학에서 벗어나 현대 문화의 코드를 이해하기 위한 고전의 반열에 올라 있다.

『호빗』과『반지의 제왕』은 톨킨이 만든 가상의 세상 '가운데땅(Middle-earth)'을 배경으로 하며, 특히 그 역사의 종장을 다룬다. 그러나『반지의 제왕』을 읽은 독자들은 가운데땅으로의 여행을 이제막 시작했다 해도 과언이 아니다. 이 작품에서 설명되지 않고 모호하게 남아 있는 것들이 많이 있기 때문이다. '반지'의 역사에 대해서는 해설(Appendix)에서 비교적 자세히 다루지만, '엘베레스'와 '에아렌딜'이 누구인지, '곤돌린'은 어디에 있고, 요정은 왜 '서녘'이라는 뜻으로 쓰이니 아는지, 아니고르의 신고나는 씨끄니리 씨깁'은 어디에서 유래하였는지 등에 관한 의문은 해소되지 않는다. 이 의도적인 혼란과 모호함 때문에 독자는 프로도가 낯선 땅에서 느낀 생소함을 공감할 수 있고,『반지의 제왕』너머에 엄청난 이야기가 숨어있다고 짐작한다.

다행히 우리는 그 숨은 이야기를 엿볼 수 있다.『반지의 제왕』과 쌍을 이루는 다른 책에서 가운데땅의 옛 이야기를 접할 수 있기 때문이다.『실마릴리온』이 그것이다. 톨킨은『반지의 제왕』을『호빗』

의 속편으로 집필하기 시작했으나, 소설의 얼개가 갖추어졌을 즈음에는 『반지의 제왕』이 『실마릴리온』의 속편이며 서로 한 쌍이라 여겼다. 그는 이 두 작품을 '보석과 반지에 대한 하나의 장편 사가(one long Saga of the Jewels and the Rings)'라고 적은 바 있다. 『실마릴리온』은 톨킨의 바람대로 『반지의 제왕』과 함께 출판되지는 못했지만, 다행히 톨킨 사후 아들 크리스토퍼 톨킨(1924~2020)에 의해 정리되어 출간되었다.

『실마릴리온』은 시간의 시작에서부터 고대의 전쟁, 요정과 인간의 출현과 흥망성쇠를 다룬다. 수많은 이름과 지명이 등장하는 이 이야기의 어마어마한 규모는 진정 한 개인의 창작인지 의심스러울 정도다. 더군다나 완벽주의자였던 톨킨은 『실마릴리온』에 끊임없는 수정을 가했기 때문에 각 이야기마다 여러 판본이 공존한다. 이들은 마치 지역마다 달리 전해지는 여러 신화 판본들을 보는 것과 같은 인상을 준다. 『실마릴리온』은 이들을 그럴듯한 하나의 흐름으로 선택하고 정렬한 것으로, 이 책에서 다루지 못한 여러 판본들과 해설은 이후에 출판된 십 수 권의 책을 통해 소개되고 있다.

톨킨이 이처럼 커다란 신화를 창작할 수 있었던 원동력은 크게 두 가지였다. 하나는 앞서 말한 '신화창조'의 열망이었다. 그는 문헌학자로서 모국어인 영어가 뿌리내린 토양, 즉 조국 영국의 신화적 빈곤을 아쉬워하였다. 흔히 '영국적'이라 말하는 아서 왕 전설은 그에게 기독교와 프랑스의 영향을 너무 많이 받아 만족스러운 것이 아니었다. 그는 자신의 신화창조가 그 빈곤함을 달래줄 수 있길 바랐다.

또 하나의 원동력은 '언어창조(glossopoeia)'에 대한 열망이었다. 톨킨은 10대 무렵부터 인공어를 창작하는 데 대단한 흥미를 보였다. 특히 톨킨이 활동하던 당시 학계에서는 '국제보조어'라는 인공어 제작이 진지하게 논의되고 있었다. 하지만 신화에 대한 애정과

1940년에 찍은 J.R.R. Tolkien의 모습

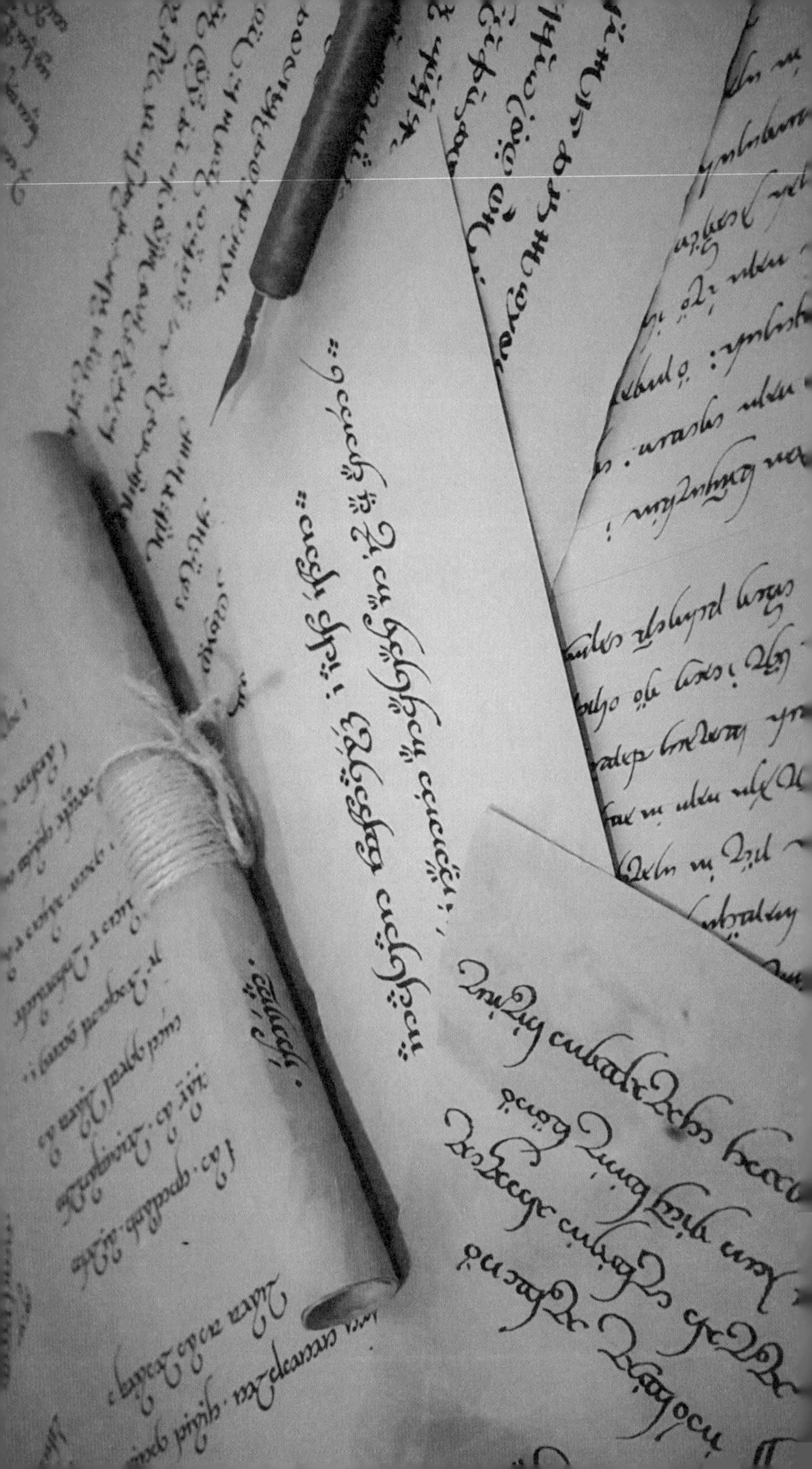

여러 언어에 대한 지식을 바탕으로 톨킨은 문화, 전설, 신화와 유리된 언어는 죽은 것이며 '진정한 언어'는 끊임없이 변화하는 총체라 결론지었다. 그래서 그는 복잡하게 변화하고 예외로 가득한 '자연스러운' 인공 언어를 만들고자 했다. 이를 위해 그에게는 인공 언어의 화자 민족과 그들이 겪어온 전설과 역사가 필요했다. 그는 20대에 자신이 구상한 서사시에 등장하는 불사의 종족 '요정'에게 그 언어를 부여했다. 그래서 『실마릴리온』은 영생을 누리는 요정들이 어떠한 이유로 서녘의 이상적 세계에서 가운데땅으로 망명을 와 언어의 분화를 수반하는 격동의 시대를 살아내야 했는지 풀어내고 있다.

그러나 이러한 원동력으로 만들어진 장작불이 그저 뜬구름 잡는 허황한 이야기였다면 지금과 같은 사랑을 받지는 못했을 것이다. 톨킨의 신화와 소설은 삶의 토양에 뿌리내리고 있으며, 이로부터 인간과 삶에 대한 날카롭고 깊은 통찰을 이끌어냈다. 그는 유년 시절의 한적한 영국 전원 생활에서 자연에 대한 사랑을, 도시의 잿빛 풍광에서 무분별한 발전의 어두운 이면을, 10대를 함께한 '티 클럽 배로우 친우들(Tea Club, Barrovian Society, T.C.B.S.)'로부터 진정한 우정을, 제1차 세계 대전에 참전하고 벗들의 죽음을 경험하면서 전쟁과 세계 정치의 속성을, 그리고 평생의 반려자 이디스 톨킨으로부터 사랑을 배웠다. 이런 경험은 끝없이 수많은 옛 신화를 읽어내 믿은 선대의 통찰 및 지혜와 결합하여 고전적이면서도 정교한 신화를 만드는 자양분이 되었다.

톨킨은 『실마릴리온』과 『반지의 제왕』을 포함하는 신화 체계, 이른바 '레젠다리움(legendarium)'의 구축 외에도 다양한 업적을 남겼다. 유년 시절 그의 어머니가 많은 동화를 들려주며 그를 신화와 전설의 세계로 인도했듯이, 그는 그의 아이들에게 환상적인 이야기를 곧잘 들려주었고 그 결과로 『호빗』 이외 여러 편의 동화와 시를 남겼다.

동시에, 문헌학자로서 다양한 사료를 해석하고 재해석하는 업적을 남겼는데, 특히 베오울프에 대한 그의 해석과 견해는 탁월하다고 평가받는다. 『반지의 제왕』이나 『실마릴리온』뿐만 아니라 그의 독특한 동화와 시, 문헌 해석도 현재까지 많은 사랑을 받고 있다.

톨킨의 작품 가운데 생전에 출간된 것은 『호빗』과 『반지의 제왕』 그리고 몇 가지 동화, 논문, 에세이 정도였다. 현재 톨킨의 많은 유작은 그의 아들 크리스토퍼 톨킨이 지난 40여 년의 세월 동안 각고의 노력을 들인 덕분에 출간될 수 있었다. 언어에 대한 톨킨의 전문 지식과 완벽주의로 인하여 그의 작품들을 번역하는 것은 복잡하고 어려운 일이었고 유작 중 다수는 출간되더라도 오랫동안 한국어로 번역되지 못했다. 기존에 번역된 『호빗』, 『반지의 제왕』, 『실마릴리온』 등의 작품이 어렵사리 번역되기도 했지만, 역시 톨킨이 직접 남긴 '번역 지침'에 근거하여 일관되게 번역하는 것이 쉬운 일이 아니었다. 톨킨의 작품을 더 폭넓게 이해하고자 하는 많은 한국인들에게 이 점은 오랫동안 높은 장벽으로 남아 있었다.

북이십일 아르테는 2018년 톨킨 작품에 대한 번역 판권을 얻어 톨킨의 다양한 저작을 새롭게 번역 출간하게 되었다. 일차적으로 『호빗』과 『반지의 제왕』을 톨킨의 번역 지침에 더욱 충실하게 개정하고 새롭게 단장하여 2021년에 출간한다.

톨킨문학선
주요 작품 소개

호빗

『호빗』은 1937년 출판된 동화로서, 평범한 호빗 '빌보'가 사악한 용 '스마우그'로부터 난쟁이 왕국을 탈환하는 위험한 모험에 휘말리는 이야기이다.

『호빗』의 창작 배경에는 재미있는 일화가 전해온다. 1920년대 후반 옥스퍼드 대학 교수였던 톨킨은 당시 시험지를 채점하던 중 한 수험생이 제출한 백지를 마주했다. 톨킨은 무심코 그 위에 '땅속 어느 굴에 한 호빗이 살고 있었다.'라고 적었다. 그러자 그에게 '호빗이 무엇이지?'라는 의문이 생겼고 이것이 『호빗』 집필로 이어졌다고 한다. 백지를 낸 학생의 학점은 나빴을지언정 문학계는 그에게 빚을 진 셈이다.

톨킨의 여러 책 중에서 『호빗』은 가장 먼저 출판된 레젠다리움 이야기이지만, 정작 집필 당시에는 레젠다리움과는 관련이 없었다. 다만 『반지의 제왕』 집필 중에 『호빗』을 레젠다리움에 편입하기로 결심하면서 내적 일관성을 위해 수정을 거쳐 1951년 재출간한 바 있다. 그럼에도 불구하고 『호빗』에는 『실마릴리온』에 등장하는 단어나 이름이 몇 가지 등장하는데, 이는 그의 신화에서 빌려온 것이었다. 일례로 『호빗』 제3장 '짧은 휴식'에 등장하는 '엘론드'는 그의 신화에 속하는 인물인데, 여기서 그가 요정이라고 명료히 밝혀지지 않은 것은 집필 당시 엘론드의 정체가 확립되지 않았기 때문이다.

『호빗』의 소재와 문체에는 톨킨이 탐독했던 여러 소설과 시에서 영향을 받은 흔적이 있다. 그가 좋아했던 19세기 영국 시인이자 소설가인 윌리엄 모리스의 문체가 얼핏 감지되기도 한다. 조지 맥도널드의 『공주님과 도깨비』의 경우 『호빗』의 '고블린' 창작에 영감을 주었다. 또한, 그에게 지대한 영향을 미친 베오울프 영시와 게르만 신화도 『호빗』의 세계를 깊게 물들였다. 『호빗』에 등장하는 '간달프'와 여러 난쟁이 이름은 『운문 에다』에 등장하는 노르드식 이름에서 가져온 것이다.

　『호빗』은 톨킨의 레젠다리움에 뒤늦게 편입되었지만, 그의 작품들 중 그 어떤 사전 지식 없이도 읽을 수 있는 작품이 되었다. 따라서 『호빗』은 『반지의 제왕』과 『실마릴리온』을 잇는 다리 역할을 수행할 뿐만 아니라 '가운데땅'을 독자에게 소개하는 입문서가 되었다. 또한 『호빗』은 아이들을 위한 동화인 만큼 가장 경쾌하고 재치 있는 문체로 쓰여 있어서 톨킨의 작품들 중 가장 쉽게 읽힌다.

반지의 제왕

톨킨의 대표 작품인 『반지의 제왕』의 시작은 다소 평범했다. 『호빗』이 대단한 성공을 거두자 출판사에서 속편에 대한 요청이 들어온 것이다. 톨킨은 대수롭지 않게 '반지를 돌려주는 여행을 떠나면 되겠다.'라고 여겼다. 『호빗』에서 이미 주인공 빌보가 '오래오래 행복하게' 살 것이라 공언했기 때문에, 톨킨은 반지를 돌려줄 인물로 다른 호빗을 내세웠다. 『호빗』의 시작이 '호빗이 무엇이지?'라는 질문이었던 것처럼, 『반지의 제왕』의 시작은 '왜 돌려줘야 하나?'였다. 반지를 돌려줘야만 하는 위험한 비밀에 대한 상상은 걷잡을 수 없이 확대되었고, 1939년에 톨킨은 이 이야기를 『실마릴리온』의 속편으로서 레젠다리움에 포함하기에 이른다.

『반지의 제왕』은 다양한 '감상 포인트'가 있다. 몇 가지만 소개하자면 다음과 같다. 『반지의 제왕』은 앞서 언급했듯이 『실마릴리온』의 마지막에 해당한다. 떠날 때가 되었지만 가운데땅에 머무르고 싶었던 요정들이 만든 '힘의 반지'와 그 마음을 악용하는 사우론, 그리고 가운데땅의 새 주인으로 부상하는 인간들 간의 역사와 전쟁을 다룬다. 불사의 민족인 요정이 필멸의 땅에 머무르고자 하는 마음과 그로 인한 갈등을 통해 톨킨은 진정한 '불멸'이란 무엇인지 논한다. 이 질문은 인간 아라고른과 요정 아르웬 간의 사랑에도 녹아 있다.

한편, 『반지의 제왕』은 웅장한 전쟁을 다루고 있지만, 그것의 영광보다는 그 속에서 발버둥치는 작은 이들에게 더 큰 관심을 두고 있다. 즉, 호빗으로 대표되는 평범한 이들이 악에 맞서 싸우는 과정에서 지켜내는 가치를 그린다. 톨킨은 말한다. '고결과 숭고함이 없다면 단순하고 경박한 삶은 그저 상스러운 것이나, 단순하고 평범한 삶이 없다면 고귀하고 영웅적인 행보는 모두 부질없는 것이다.' 일견 덧없어 보이는 우리의 일상이 중요하다 역설하며 위로해주는 것은 아닐지? 덧붙어 소박한 삶의 중요성은 선과 악에 대한 질문으로 이어진다. 절대반지를 바라보는 인물들의 시각과 사루만의 화려한 언변을 통해 진정한 선이란 무엇인지 묻는다.

　물론, 이런 어려운 질문이 아니더라도, 마치 그림을 그리듯 섬세한 묘사와 치밀한 전개, 영웅 모험담다운 멋진 서사는 이 책에 매료되기에 충분한 이유일 것이다. 또한『반지의 제왕』의 뒷이야기를 상세히 알려주는 두꺼운 해설은 마치 또 다른 영웅 서사나 역사서를 읽는 것 같은 즐거움을 줄 것이다.

실마릴리온

톨킨이 자신만의 신화를 만든 시작은 보통 퀴너울프가 쓴 고대 영시 'Christ I'에서 에아렌델(Ēarendel)이라는 오래된 이름을 마주쳤을 때로 추정된다. 그 신비로운 이름에 매료된 톨킨은 '뱃사공 에아렌딜'을 상상하고 그의 여로를 시로 옮기기 시작했다. 그 시에는 아름다운 서쪽 해안과 그 너머 빛나는 땅에 사는 불사의 요정이 등장하는데, 지금은 잊힌 종족이 우리가 사는 땅에 온 적이 있었고 그들이 인간에게 많은 것을 전수하고 돌아갔다는 것이다.

『실마릴리온』은 세상의 창조부터 『반지의 제왕』까지 이어지는 이야기들로 처음에는 신들의 기원과 구성에 관한 이야기가 자리하며, 그 후 요정의 이야기 '퀜타 실마릴리온'이 이어진다. '퀜타 실마릴리온'은 본래 대영웅 에아렌딜이 가운데땅의 요정을 구원하면서 마무리될 예정이었다. 그러나 『반지의 제왕』이 『실마릴리온』 뒷이야기로 정해지면서 앞서 말한 '가운데땅에 남겨진 요정들'이 다뤄지게 된 것이다.

한편, 톨킨은 『나니아 연대기』의 저자인 C.S. 루이스의 제안으로 '시간여행'을 주제로 한 이야기 '잃어버린 길(The Lost Road)'을 쓰게 된다. 그것은 서쪽 바다의 섬에 자리한 축복받은 인간들의 왕국 '누메노르'로 주인공이 모험을 떠나는 이야기이다. 결국 누메노르는 집채만 한 파도가 덮쳐 침몰하고, 그 결과 서녘과의 '직항로'가 사라진다는 내용이다. 아틀란티스 전설의 재해석에 해당하는 이 이야기는

'누메노르의 몰락'이라는 삭품으로 다듬어졌으며, 마침내 '퀜타 실마릴리온'의 다음 장인 '아칼라베스'가 되었다.

『실마릴리온』의 마지막 장인 '힘의 반지와 제3시대'에서는 누메노르의 몰락으로 가운데땅에 돌아온 서쪽나라 사람들과, 가운데땅을 떠나기 싫어했던 요정들, 그리고 그 사이에서 재기를 꿈꾸는 사우론이 등장한다. 즉, 이 마지막 장은 『반지의 제왕』이 어떻게 '퀜타 실마릴리온'에서 이어지는지 설명하는 셈이다.

『실마릴리온』은 톨킨이 『반지의 제왕』과 함께 출판하길 바랐으나 좌절된 책으로, 크리스토퍼 톨킨이 1976년에 정리하여 출간했다. 톨킨이 오랜 세월 수정을 가한 탓에 각각의 이야기는 여러 판본이 공존하고 있다. 그런 점에서 『실마릴리온』은 일관된 서술을 확보하기 위하여 톨킨의 다양한 생각을 일부 생략한 일종의 '요약본'이라 하겠다. 그래서 『실마릴리온』은 소설을 읽는다기보다는 단정하게 정리한 신화 책을 읽는 것 같은 독특한 분위기를 풍긴다. 또한 톨킨이 마드 세상이 여사를 마기친 케인 민급, 톨킨의 괜들에게는 가상 핵심이 되는 책에 해당한다.

끝나지 않은 이야기

『호빗』과『반지의 제왕』, 그리고『실마릴리온』을 읽었다면 '가운데 땅'의 전체적인 윤곽은 살핀 셈이다. 『끝나지 않은 이야기』에서 다루는 내용은 대부분『실마릴리온』에 언급된 것들이다. 그러나『실마릴리온』과『끝나지 않은 이야기』의 구성은 판이하다. 이것은 톨킨이 생전 자신의 작품을 출판하는 데 대단히 완벽주의적이고 까다로웠고, 이것을 누구보다 잘 알았던 크리스토퍼 톨킨이『실마릴리온』의 완결된 서사를 위해 톨킨의 원전을 다소 수정했던 것이 마음에 걸렸기 때문이다. 그래서 크리스토퍼 톨킨은 부친이 남긴 글들을 미완성(unfinished) 상태 그대로 공유하고, 원전을 살핀 사람이자 아들로서 알려줄 수 있는 해설을 달아 출판하고자 했다.

그럼에도 불구하고『실마릴리온』에 싣지 못했던 톨킨의 원고들이 워낙 많았기 때문에『끝나지 않은 이야기』에서만 찾아볼 수 있는 매력적인 내용이 많다. 아라고른의 선조가 살았던 위대한 인간 왕국 '누메노르'의 자세한 설정과 계보, 간달프와 사루만을 비롯한 마법사들이 가운데땅으로 건너온 배경 등을 이 책에서 확인할 수 있다. 『호빗』과『반지의 제왕』을 좋아한다면, 요정 영주 갈라드리엘과 켈레보른의 과거사와 이실두르의 최후, 주인공 시선으로 묘사되었기에 알 수 없었던 소설의 뒷이야기를 설명하는 단원들도 흥미로울 것이다. 그래서『끝나지 않은 이야기』를 읽고 나서야 비로소『반지의 제왕』의 사건들이 보다 입체적으로 다가오게 된다.

UNFINISHED TALES

『끝나지 않은 이야기』는 1980년 처음으로 출판되었는데, 이 작은 책으로는 톨킨이 남긴 수많은 이야기들을 모두 싣기에는 역부족이었다. 이에 크리스토퍼 톨킨은 『끝나지 않은 이야기』에 만족하지 않고 열두 권으로 구성된 『가운데땅의 역사서(The History of Middle-earth)』를 뒤이어 출판하게 된다.

후린의 아이들

『실마릴리온』의 중심을 이루는 '퀜타 실마릴리온'은 여러 영웅이 등장하는데, 이 중에서 세 영웅에 대해 톨킨은 각별하게 생각했다. 바로 『후린의 아이들』 『베렌과 루시엔』 그리고 『곤돌린의 몰락』의 주인공, 투린, 베렌, 투오르이다. 톨킨은 일찍이 1910년도에 『실마릴리온』의 전신에 해당하는 작품인 '잃어버린 이야기들(Lost Tales)'을 만들면서 그 속에서 핵심을 이루는 '위대한 이야기'로서 이 셋을 꼽았다.

톨킨은 이들을 여느 중세 영웅 모험담처럼 독립적인 이야기이면서도 운문과 산문 두 가지가 공존하는 형식으로 만들고 싶어했다. 특히 운문은 톨킨이 애착을 가졌던 '베오울프'처럼 두운 시로 창작했다. 셋 중 사건 순서상 가운데에 놓이는 『후린의 아이들』의 경우 1918년에 처음 구상되기 시작해서 2200행이 넘는 서사시와 수십 장에 달하는 산문이 여러 버전으로 쓰였다. 그럼에도 불구하고 결국에는 『후린의 아이들』은 미완성 원고들만 남겨진 채 톨킨 생전에는 출판되지 못하였다.

이후 『후린의 아이들』의 산문과 운문 원고 상당량은 각각 『끝나지 않은 이야기』와 『가운데땅의 역사서』에 실렸으나 단편적인 원고들을 그대로 옮긴 것인 만큼 하나의 완결된 서술로 이야기가 이어지는 것은 아니었다. 또한 그곳에 실린 원고가 전부도 아니었다. 그래서 크리스토퍼 톨킨은 여러 원고들을 하나의 서사로 통일시켜 톨킨이 각별하게 여긴 이 이야기를 독립적인 책으로 출간하고 싶어했다. 그는 『반지의 제왕』과 마찬가지로 『후린의 아이들』 역시 『실마릴리온』을 접하지 않아도 읽을 수 있는 완결성을 가지고 있다 생각했다. 이러한 배경에서 2007년 하나의 통일된 서사를 갖춘 『후린의 아이들』이 단행본으로 출판되었다.

『후린의 아이들』은 가운데땅 요정의 든든한 친구였던 후린 가문에 대한 이야기이다. 요정의 대적(大敵) 모르고스가 요정을 돕고 자신의 계획을 방해한 후린 가문에 저주를 내린다. 운명처럼 따라붙는 저주 속에서 발버둥치는 후린의 아들 투린의 행보가 이야기의 중심이다. 그는 톨킨이 매료되었던 핀란드 신화 시집 '칼레발라'에 등장하는 인물 '쿨레르보(Kullervo)'를 연상시킨다. 북유럽 신화의 볼숭 사가(Völsunga saga)에 등장하는 '지그문드(Sigmund)' 또한 투린과 닮았다. 두 인물 모두 톨킨이 인상적으로 여겼던 신화 속 인물들로, 톨킨의 다른 저작인 『쿨레르보 이야기』와 『지구르드와 구드룬의 전설』에서 발견 수 있다.

베렌과 루시엔

이디스 톨킨(1889−1971)은 톨킨의 영원한 사랑이자 동반자였다. 톨킨은 제1차 세계 대전에서 장교로 복무했었는데, 솜 전투에서 참호열에 시달려 영국으로 돌아와 근무하게 된다. 이디스 톨킨은 1917년에 톨킨이 당시 복무하던 곳 근처였던 요크셔의 루스(Roos) 마을로 이사 가 그해 태어난 장남 존 프랜시스를 양육했다. 톨킨은 휴가를 받으면 이디스와 함께 루스 마을의 숲길을 걸었는데, 그곳은 하얀 헴록 꽃이 흐드러진 곳이었다. 이디스 톨킨은 그곳에서 톨킨을 위해 춤을 추곤 했다.

이 모습은 톨킨이 기억하는 가장 아름다운 순간이었음이 틀림없는데, 바로 이 장면이『실마릴리온』에 그대로 들어 있기 때문이다. 그것도 가운데땅 역사에서 가장 아름다웠던 요정 공주 '루시엔'이 숲 속 흰 꽃밭에서 춤추는 미려한 장면으로 말이다. 톨킨에게 이디스는 영원한 '나의 루시엔'이었으며 이디스가 1971년 세상을 떠나자 그는 아내의 묘비에 '루시엔'이라고 새겼다. 톨킨이 사망했을 때 아들들은 그의 이름 아래에『실마릴리온』속 루시엔의 반려자였던 인간 영웅 '베렌'을 새겨주었다.

『베렌과 루시엔』은『실마릴리온』전체를 통틀어 톨킨이 가장 아끼는 이야기였다. 여러 번 손을 본 이 서사시는 이미『가운데땅의 역사서』에 수록되었으나, 크리스토퍼 톨킨은『후린의 아이들』처럼 '베렌과 루시엔'에만 집중한 책이 있길 바랐다. 그는 최대한 일관된 서술

BEREN AND LÚTHIEN

을 확보하면서도 본연의 모습 그대로, 시간 순서에 따라 발달해간 베렌과 루시엔을 보여주고자 했다.『베렌과 루시엔』이 출간되던 해에 벌써 93세의 고령이었던 크리스토퍼 톨킨은 이것이 아마도 그의 마지막 책이리라 생각했고, 아버지와 어머니에 대한 회고로서 각별하게 여겼다.

『후린의 아이들』과 마찬가지로 약 4000행 길이의 미완성 서사시가 함께 전해지는『베렌과 루시엔』은 이야기 자체로도 매력적이다. 베렌과 루시엔이 함께 갖은 역경을 이겨내고 요정과 인간 간의 사랑을 이루어낸다. 이들의 만남과 여정은『실마릴리온』에서 가장 중요한 사건 중 하나로 꼽히며, 이들의 결합으로 시작된 핏줄은 훗날『반지의 제왕』에 등장하는 아르웬과 아라고른까지 이어진다.

곤돌린의 몰락

앞서 말한『실마릴리온』의 '위대한 이야기' 셋 중『곤돌린의 몰락』은 사건 순서상 마지막에 해당한다. 하지만 요정들 전체의 명운이 절체절명의 순간으로 치닫는 이 이야기는 사실 셋 중 가장 먼저 쓰였다. 솜 전투에서 영국으로 돌아온 직후인 1917년 초에, 톨킨은 스태포드셔의 그레이트 헤이우드에서 요양하게 된다. 바로 그 시절에 쓴 이야기가『곤돌린의 몰락』이다.

끔찍했던 전장에 대한 생생한 기억과 그의 머릿속에 담긴 많은 신화적 모티프들이 섞여 있는 이 작품은 요정 최후의 비밀스런 요새 '곤돌린'이 함락되는 절박한 이야기를 들려준다. 곤돌린을 함락시키고 싶어하는 대적 모르고스와 그의 흉계를 좌절시키고자 하는 '물의 군주' 울모가 대립한다. 이 사이에서 영웅 투오르와 이드릴은 희망을 낳고 '퀜타 실마릴리온'을 절정으로 이끈다.

톨킨은『곤돌린의 몰락』역시 서사시로 구상하려는 시도를 잠시 했다. 하지만 다른 두 서사시『후린의 아이들』및『베렌과 루시엔』과는 달리 도입부만 시도한 채 더 이상 시로 옮기지 않았다. 이러한 이유로『곤돌린의 몰락』에서는 톨킨이 남긴 산문만을 그대로 따르고 있다.

크리스토퍼 톨킨은『곤돌린의 몰락』서문에서 '93세의 나이에『베렌과 루시엔』이 그의 마지막 책일 것'이라고 기술한 1년 전의 서문을 바로잡는다. 그리고 아버지가『반지의 제왕』과『실마릴리온』을 한 쌍으로 하기 원했음을 상기시키며, 위대한 세 이야기의 마지막편의 출간이 지니는 의미를 새삼 일깨운다. 톨킨 자신보다 톨킨의 이야기를 더 많이 출간했던 아들 크리스토퍼 톨킨의 마지막 작품으로서 『곤돌린의 몰락』은 그 의미가 각별하다 하겠다.

그 외의 작품들

톨킨의 책들은 앞서 소개한 것에서 끝나지 않는다. 무엇보다 크리스토퍼 톨킨이 『실마릴리온』과 『반지의 제왕』에 관련된 여러 원고들을 차근차근 해설하는 열두 권의 책, 『가운데땅의 역사서』가 있다. 『톰 봄바딜의 모험』에는 가운데땅에 전해져 내려오는 열여섯 편의 시가 실려 있으며, 『길은 계속해서 이어진다오』는 톨킨이 쓴 시를 도널즈 스완이 가락을 입혀 출판한 노래 모음집이다. 『톨킨의 그림들』은 회화에도 두각을 드러냈던 톨킨이 남긴 여러 그림들을 소개한다. 그림들 중 여럿은 가운데땅에 대한 것으로, 작가가 직접 남긴 가운데땅의 모습을 살필 수 있다.

톨킨의 레젠다리움에 속하지 않는 여러 단편 동화들도 있는데, 『큰 우튼의 대장장이』, 『블리스 씨 이야기』, 『햄의 농부 가일스』, 『로버랜덤』, 『니글의 이파리』 등이 그것이다. 특히 『북극에서 온 편지』는 1920년부터 1942년 사이에 그의 아이들을 위해 쓴 창작 편지 모음집으로서 산타 할아버지와 조력자들의 모험들을 유쾌하게 그리고 있다.

톨킨은 여러 사료들을 해석·재해석하거나 이들을 기반으로 시와 산문을 창작하였고 이들 역시 출판되어 있다. 『쿨레르보 이야기』, 『베오른의 귀환』, 『가웨인 경과 녹기사』, 『핀과 헨게스트』, 『지구르드와 구드룬의 전설』, 『아서의 몰락』, 『로드와 레이디의 이야기』 등이 이에 속한다. 특히 『베오울프: 번역과 해설』은 톨킨이 베오울프 고대 영시를 해석한 것으로 이는 문헌학자로서의 대표적인 성과 중 하나이며, 원전의 뜻과 운율을 잘 살렸다고 평가받는다.

톨킨이 옥스퍼드 대학에서 특별 강연했던 내용들 중 일부 역시 책으로 읽어볼 수 있다. 이 에세이들은 톨킨의 언어와 신화에 대한 견해를 파악할 수 있는 중요한 자료로 여겨진다.『요정 이야기』와『베오울프: 괴물들과 비평가들』등이 그것이며, 대부분은『괴물들과 비평가들 그리고 다른 에세이들』이라는 에세이 묶음 책에 잘 정리되어 있다.

『반지의 제왕』 개정판
편집의 원칙과 세부내용

북이십일 아르테에서는 2018년부터 『호빗』, 『반지의 제왕』, 『실마릴리온』 등 톨킨 작품의 기존 번역을 재검토하고 수정하는 작업을 수행해왔다. 물론 완벽한 번역이란 없기에 기존의 번역을 다듬고 점검하는 것은 출판사의 당연한 덕목이라 말할지도 모르겠다. 그러나 톨킨의 책은 조금 특별한 구석이 있다.

  J.R.R. 톨킨은 어릴 적부터 언어의 끊임없는 변천사를 탐구했던 영국의 문헌학자(philologist)였다. 그는 언어를 다루는 데 누구보다 능했기에 『반지의 제왕』에는 단어 하나 허투루 사용된 것이 없으며, 소설 내 언어 장치들은 내단히 정교하다. 심시어 어떤 것들은 동시대의 영국인에게마저 미묘한 것이었는데, 이 때문에 『반지의 제왕』은 초판부터 작가가 의도하지 않은 오류가 상당했다. 출판사에서 '오타'라고 섣불리 판단하여 바꿔버린 단어들도 있었고, 대문자로 시작하는 단어의 고유한 의미를 간파하지 못하여 소문자로 인쇄한 경우도 적지 않았다.

  톨킨은 그의 노년까지 이 오류들을 시간이 날 때마다 하나씩 정리해 나갔지만, 결국 이 모든 오류를 고치기 위해서는 더 많은 시간이 필요했다. 이 오류를 대대적으로 검토하여 본래의 형태로 복원하는 일은 톨킨 사후 30년이 지나서야 결실을 맺는다. 이 오랜 작업은 톨킨의 유고를 관리해온 톨킨의 삼남 크리스토퍼 톨킨과, 톨킨의 소설을 연구해온 많은 이들의 협업으로 가능했다. 이 결실이 2004년 출판된 『반지의 제왕』 50주년 기념 판본이다. 유감스럽게도, 지금까지 한국에서는 이 판본에 기초한 번역본이 출간되지 않았다.

  『반지의 제왕』에 사용된 표현들의 특이한 의미는 톨킨이 『반지의 제왕』 번역에 대해 취한 입장에서도 알 수 있다. 일찍이 『반지의 제왕』 해설 F에서 톨킨은 『반지의 제왕』의 본문과 고유명사에 대한 그의 확고한 견해를 피력했다. 그럼에도 불구하고 1950년대 말 출판된 『반지의 제왕』의 네덜란드어 및 스웨덴어 번역본은 톨킨에게 큰 실망을 안겨주었다. 번역 과정에서 그가 의도했던 소설 장치들이 상당 부분 파괴되었기 때문이다. 그는 이러한 '비극'이 반복되지 않도록 『반지의 제왕』에 등장하는 주요 고유어들이 어떻게 만들어졌는지 상세한 설명문을 만들어, 이른바 '번역 지침'이라는 것을 남겼다. 이 지침에서 각 단어의 설명은 놀라울 정도로 치밀하다. 그 치밀함은 앞으로 본문에서 제시된 몇 가지 예시를 통해 직접 살필 수 있을 것이다.

  톨킨의 번역 지침의 핵심 중 하나는 주인공, 즉 호빗의 시선과 독자의 눈높이를 최대한 동화시켜 주인공이 생소하게 여긴 것은 독자도 생소하게 여기고, 주인공이 익숙하게 여긴 것은 독자 역시 곧바로 이해할 수 있도록 이끄는 것이다. 따라서, 소설 속에서 어떤 고유 단어가 처음 등장할 때 뜻풀이가 되지 않았다면, 그것은 작가의 불친절이 아니라 주인공이 그 단어를 처음 듣고 이해하기 어려웠음을 드러내는 다분히 의도적인 소설 장치이다. 독자는 생소한 단어를 마주치면, 소설 속 호빗들이 그랬듯이 상황과 주변 인물의 언행을 통해 이 단어의 뜻을 유추하게 된다. 달리 말해, 이것은 곧 번역 과정에서 단어를 잘못 옮기거나 문장에서 오역이 섞이면 단어의 뜻을 유추하는 데 대단한 지장을 줄 것이라는 의미가 된다. 또한 단어의 생소함과 친근함을 통해, 톨킨은 호빗이 느꼈을 예기치 않은 익숙함이나 또 타지에서 느낀 생경함을 전달하고자 했다.
  이러한 맥락에서, 이번 번역 교정은 단순히 단어를 새롭게 옮기거나, 이른바 '열혈 독자'의 기호를 반영하는 자기만족적 작업이 아니었다. 이것은 소설 자체의 고유한 특성과 언어에 조예가 깊었던 작가의 확고한 철학을 번역본에서 최대한 반영하려는 노력의 일환이었다. 이 노력이 없었다면, 『반지의 제왕』이 어째서 그토록 많은 독자층을 영미권에서 거느릴 수 있었는지 한국어 번역본의 독자들을 납득시킬 수 없을 것이다.

다만, 한국에서 이 교정을 실천하기 위해서는 오랜 기다림이 필요했다. 『반지의 제왕』이 처음 번역된 것은 상당히 오래 전이며, 초창기인 1980년대에는 『반지의 제왕』 원서를 구하는 일마저 쉽지 않았다. 당시는 톨킨이 구체적인 번역 지침을 남겼다는 사실도 알려지기 전이었다. 이 모든 미진한 사항들이 개선되기 위해서는 원서 자체의 교정이 있었던 50주년 기념 판본뿐만 아니라, 『반지의 제왕』에 대한 보다 심층적인 이해가 필요했다. 그리고 이를 위해서는 작가 사후 약 50년 동안 출판된 수십 권의 톨킨 관련 서적과, 번역할 엄두조차 나지 않는 이 책들을 탐독한 소수의 한국인 독자층이 나타날 때까지 기다려야 했다. 따라서 이번 북이십일 아르테의 교정은 오랫동안 미뤄두었던 작업을 몰아서 하는 대단히 복잡한 작업이었다.

이 까다로운 작업은 작품에 대한 열정 없이는 불가능한 것이었다. 그중에서도 완성도 높은 역본을 선보이고 싶은 북이십일 아르테의 마음과, 30년이 지난 뒤에도 변치 않은 번역자들의 소설에 대한 애정은 실성적이었다.

이어서 구체적으로 어떤 사항들이 『반지의 제왕』 교정에서 중요하게 다루어졌는지 몇 가지 예시를 통해 공유하고자 한다. 물론 수많은 교정 내역에는 저마다의 배경이 있었으나 여기에서는 대표적인 사례를 중심으로 소개한다.

I. 한국어 글 수정

30년 동안 한국어 자체도 변화를 겪었기 때문에, 당연하게도 이번 검토에서 한국어 문장 자체에 대한 점검도 함께 진행되었다. 띄어쓰기를 고치는 문제부터, 구어체 혹은 줄임말에 해당하는 표현을 문어체로 정정하는 것, 문법 교정 등이 모두 포함된다.

II. 문장 번역 개선

어떤 역서라도 처음부터 오역 없는 결과물을 만들 수는 없다. 『반지의 제왕』에서도 흔치 않지만 간혹 오역 혹은 미묘하게 원문과 뜻이다른 경우가 발견된다. 어떤 것은 단순히 시제 문제이거나 조동사 차이 정도에 그치지만 어떤 것은 수식 관계가 어긋나 있기도 했다. 또한 단어 한두 개가 어긋나서 전체 의미가 달라지기도 하고, 인물의 행동 근거를 유추하기 한층 어려워지기도 했다. 특히 유럽에만 있는 용어나, 한국어의 높임말, 친척 간의 호칭까지 섞이게 되면서 무척 다양한 문장들이 이번 교정의 도마에 올랐다.

특히 『두 개의 탑』과 『왕의 귀환』은 전편에서 묘사하거나 설명한 단어들이 점점 누적되면서 더 까다롭고 오역에 취약해진다. 이를테면, 『반지 원정대』의 장(chapter) 제목인 '깨어진 우정(The Breaking of the Fellowship)'은 『왕의 귀환』에서 'their fellowship was broken'이라는 표현으로 같은 사건을 다시 묘사한다. 또한 『두 개의 탑』의 장 제목인 '굳게 닫힌 암흑의 성문(Black Gate Is Closed)' 은 『왕의 귀환』 장 제목인 '암흑의 성문 열리다(Black Gate Opens)'와 대조를 이루도록 되어 있다. 뿐만 아니라 『두 개의 탑』에서 언급된 지명들, 예컨대 '헬름협곡(Helm's Deep)', '나팔산성(Hornburg)', '협곡분지(Deeping Coomb)' 등은 『왕의 귀환』에서는 줄인 표현, 즉 'the Deep', 'the Burg', 'the Coomb' 등으로 불쑥 나타나므로 이전의 표현들을 알아야만 일관된 번역 혹은 묘사가 가능하다.

한국어에는 영어의 대문자에 대응되는 기능이 없기 때문에 이런 점은 특히 난해하다. 이처럼 책을 넘나드는 단어 사용은 고유명사가 아닌 일반명사에서도 마찬가지이다. 예컨대, 『두 개의 탑』에서 '골짜기'로 묘사했던 골짜기가 『왕의 귀환』에서 '계곡'이라 표현되면 독자에게는 어려움으로 다가온다.

여기서는 이야기 초반이리서 보다 복잡한 배경 없이도 개신짐을 설명할 수 있는 『반지 원정대』의 경우를 예시로 가져왔다.

[1] '엘론드의 회의' 중 아라고른이 골룸을 추격했던 과정을 설명하는 대목:

And then, by fortune, I came suddenly on what I sought: the marks of soft feet beside a muddy pool. But now the trail was fresh and swift, and it led not to Mordor but away.

기존 번역; 그런데 다행히도 제가 찾던 것은 우연히 민났습니다. 이떤 진흙탕가에서 윤곽이 뚜렷하지 않은 발자국을 발견한 겁니다. 그것은 최근에 만들어진 것이었고 또 급한 걸음이었는데 모르도르가 아니라 그 반대쪽을 향해 있었습니다.

골룸은 오르크나 사람, 요정과는 달리 신발을 신지 않은 것이 특징이다. 그래서 원문에서 등장하는 'marks of soft feet'은 맨발자국을 뜻한다. 특히나 진흙물가는 골룸이 좋아하는 곳이며, 그 발자국

이 뚜렷하므로 골룸이 이곳을 지나간 지 얼마 되지 않았음을 논리적으로 설명하고 있다. 기존 번역본에서는 '뚜렷하지 않은 발자국'이라고 썼기 때문에 위 논리가 다소 무뎌졌을 뿐만 아니라 바로 뒤에 등장하는 '최근에 만들어진 것'이라는 설명과 다소 상반된다. 그러므로 기존 번역본상으로는 아라고른이 알 수 없는 모종의 근거로 추정했다고 마냥 받아들여야만 하는 상황이었다. 이것은 '윤곽이 뚜렷하지 않은 발자국'을 '맨발자국'이라고만 고치면 해결되는 상황이다.

[2] '크하잣둠의 다리' 중 구(舊)모리아의 2호실 측면 입구에 도달한 원정대에게 선두에 선 간달프가 상황을 설명해주는 대목:

This is the Second Hall of Old Moria; and the Gates are near: away beyond the eastern end, on the left, not more than a quarter of a mile.

기존 번역: 이 방은 구(舊)모리아의 2호실이지. 정문은 가까워. 저기 동쪽 끝을 지나 왼쪽으로 넉넉잡아 4백 미터만 가면 되네.

간달프는 반지 원정대를 이끌고 땅속 계단을 내려와 커다란 홀의 가장자리 입구에 이른다. 위 문장은 입구 밖을 먼저 내다본 간달프가 어찌할 바를 몰라 답답한 원정대에게 상황을 묘사하는 장면이다. 원문을 보면 동쪽 끝에 '정문'이 있다고 말한다. 그런데 지하를 헤매던 이들이 동쪽이 어느 방향인지 알 리가 없으니 동쪽이 곧 그들 기준으로 왼쪽이라고 부연한다. 그러나 기존 번역본에서는 '동쪽이 곧 왼쪽'이라는 간달프의 말뜻이 다소 어긋나 있다. 이러한 미묘한 차이는 인물들이 어떤 풍경에 둘러싸여 있는지, 혹은 인물들의 판단 근거를 짐작하거나 긴박한 상황에서 행동 묘사를 재빨리 이해하는

데 어려움을 주게 된다.

[3] '깨어진 우정' 중 라우로스 폭포 근처 강가에서 원정대가 향후 경로를 회의하다가 보로미르가 없음을 깨닫자 샘이 하는 말 일부:

'Now where's he got to? He's been a bit queer lately, to my mind. But anyway he's not in this business. He's off to his home, as he always said; and no blame to him.'

기존 번역: 어디 갔을까? 그 사람 내가 보기엔 요새 조금 이상해졌어요. 물론 우리 일과는 관계가 없겠지만. 아마 자기 말대로 고향을 떠난 지 오래되어서 그런 모양이니 탓할 것은 못 되겠지요.

보로미르는 일찍이 자신은 원정대와 할 수 있을 때까지 동행하겠지만 결국 미나스 티리스로 향하겠다고 줄곧 말해온 상태이다. 그러므로 샘의 말뜻은 회의가 어떤 결론에 이르든 보로미르는 미나스 티리스로 떠날 것이니, 이 회의는 그와 무관한 것이며, 따라서 자리에 없어도, 혹은 이미 떠났을지라도, 그를 탓할 수 없다는 뜻이다. 그러나 번역에서는 보로미르가 고향에서 오랫동안 멀리 떨어져 있어 고향에 대한 그리움이 커져 '이상해진 것'은 이해해주어야 한다는 것처럼 들린다. 게다가 샘은 그 '이상해짐'이 자신과는 무관한 것이라 말하는 (다소 매정한) 것처럼 되어버렸다. 이 차이 때문에 원문은 보로미르가 프로도를 쫓아 슬며시 사라졌는데도 왜 원정대원들이 이를 수상하게 여기지 않았는지를 잘 설명해주는 반면, 기존 번역은 보로미르를 의심하지 않은 원정대원들을 납득하지 못하게 한다.

III. 단어 번역

톨킨이 『반지의 제왕』을 필두로 한 책에 써놓은 고유어의 종류는 대단히 많다. 당장 『반지의 제왕』에 고유어가 나타나는 횟수는 무려 1만 5000회가 넘는다. 또한 그 종류도 대단히 많은데, 이름의 가짓수뿐만 아니라 고유어가 만들어지는 형태 또한 다양하다. 점입가경으로 같은 대상을 지칭하는 표현이 여러 가지인 경우가 흔한데, 극단적인 예로 로한 왕의 근위 부대를 지시하는 표현은 'the Guard'부터 'the king's household-men'까지 무려 열 가지가 넘는다. 특히 후자처럼 대문자 없이 사용되는 경우, 번역시 실수가 없기 위해서는 반드시 맥락과 배경을 정확히 파악해야 한다.

톨킨은 고유어의 번역에 대해 상당히 확고한 철학이 있었다. 게다가 그 유지를 이어 톨킨 재단 역시 번역 출판에 대해 상당히 깐깐한 기준들을 갖추고 있다. 톨킨 스스로 밝힌 자신의 소설에 대한 대전제는 『호빗』과 『반지의 제왕』은 원전 사료, 즉 『붉은 책(Red Book)』을 영어로 옮긴 것'이라는 점이다. 이 전제는 나아가 톨킨이 '전지적 작가'가 아니며 단지 기록에 남아 있는 것을 전해줄 뿐이라는 것을 의미한다. 만약 톨킨이 살아 돌아와 누군가가 그에게 '정말 오르크는 요정이 비틀린 것인가요?'라고 물어보면 톨킨은 그저 '글쎄요, 요정들은 그렇게 기록합니다.'라고 대답할 것이다.

이런 이유로 톨킨은 『반지의 제왕』의 '원전'은 영어가 아니라 공용어의 호빗 방언으로 쓰여 있다고 주장했다(이 부분은 『반지의 제왕』 해설 F에 더 자세히 쓰여 있다). 원전의 주(主)언어인 공용어를 영어로 옮겼다는 것이다. 또 공용어와 언어 계통상 근연 관계에 있는 로한어와 북부인의 언어들은, 영어와 근연인 고대영어, 고트어, 고대노르드어로 바꾸었다 밝혔다. 같은 공용어라도 브리와 샤이어 간의 차이를 영어와 웨일스어 간의 차이를 이용하여 표현했다 설명하였고, 공용어로부터 언어 기원상 멀리 떨어진 요정어, 난쟁이어, 암흑어, 아두나이어 등은 음차하였는데, 이는 '호빗과 영국인 모두의 입장에서 외국어'이기 때문이라고 한다. 즉, 호빗이 생각하기에 '비슷한 언어'라고 생각하는 언어들은 번역하고, 호빗이 생경하게 여기는 언어들은 음차했다는 것이다. 『반지의 제왕』은 호빗의 시점에서 쓰인, 즉 '호빗 중심적(hobbitocentric)' 전기이므로 호빗이 익숙하게 여긴 단어들은 독자들 역시 익숙하게 느껴야 한다고 여겼다. 영어 입장에서 게르만 어족은 제법 익숙하기에 고대노르드어나 고트어 등은 '정확히 뜻은 몰라도 왠지 익숙한' 느낌을 줄 수 있는 것이나.

그리고 이 기준에 따라 적힌 대단히 상세한 지침이 바로 앞서 언급한 '번역 지침'이다. 하나만 예로 들면 다음과 같다.

샘와이즈의 딸 '마리골드'는 진짜 이름이 마리골드인 것이 아니라 샘와이즈의 딸들이 유독 금발이 많아 호빗의 언어로 노란 꽃 이름들이 붙은 것이다. 장녀 '엘라노르'의 경우에는 호빗 입장에서도 외래어(요정어 신다린)이기 때문에 그대로 쓰였으나, '마리골드(Marigold, 금잔화)'나 '프림로즈(Primrose, 앵초)'는 영어권 화자들이 바로 '노란색'을 떠올릴 꽃 이름으로 대응시킨 것이다. 따라서 번역을 할 때 "이 이름들은 모국에서 금색을 떠올릴 노란 꽃 이름으로 삼으라." 라고 지침에 써놓았다. 그러므로 톨킨이 바라는 진짜 한국어 번역은 금화, 황매, 유채, 영춘 따위의 이름들인 셈이다. 물론 정말 그렇게 번역했다가는 상당히 골치가 아파지므로, 위 두 경우 음차가 유지되어 있다. 이는 이번에 정해진 호빗 이름의 번역 규칙과도 일관된다(아래 인물 이름 설명 참고).

이러한 독특한 전제는 여러 파생 효과를 낳았다. 다시 강조하지만, 톨킨이 '번역해달라'라는 주문은 '관찰자' 즉 호빗이 익숙하게 여기는 것은 독자도 익숙해야 한다는 규칙이다. 즉, 한국인 화자가 읽을 때는 한국인이 익숙해할 이름들이 등장해야 한다는 것이 톨킨의 뜻이다. 이 특징 자체가 『반지의 제왕』 전체를 관통하는 언어적 장치인 만큼, 이 지침을 무시하는 것은 작가가 반드시 유지해야 한다고 강조한 『반지의 제왕』의 주요 서술상의 특성을 제거하는 것과 같다. 또한 이번 역본에서 번역된 『반지의 제왕』 개정 서문에서 더글라스 앤더슨이 적었듯, '독창적으로 창조한 언어들과 정교하게 구축한 고유명사들로 이루어진 『반지의 제왕』과 같은 작품에서, 오류와 모순은 진지한 독자들의 이해와 감상을 방해하기 마련'이다.

III-A. 영어 고유어

고유어의 어느 경우든 먼저 고려해야 하는 것은 '어느 단어, 그리고 그 단어의 어떤 부분을 번역해야 하는가'를 파악하는 것이다. 영어라고 모두 번역되는 것은 아니기 때문이다.

A-1. 인물/동물 이름

앞서 등장한 샘와이즈의 아이들 이름은 좋은 예이다. 실제로 네덜란드어 번역본에서는 마리골드라는 이름을 'Meizoentje'로 번역했는데, 이는 데이지 꽃이라는 뜻이다. 꽃 가운데가 노란색이기 때문에 톨킨은 이걸 보고 '이 정도 번역이면 충분하다(good enough)'라고 평가까지 했다. 물론 샘 자녀 중 이미 '데이지'가 있기 때문에, 아주 만족한 것 같지는 않다.

여기서 문제는 모든 이름의 번역을 요구한 것은 아니라는 점이다. 어떤 이름은 보존되지만 어떤 이름은 번역되길 바랐다. 이를테면

'Holman'이라는 이름은 번역되길 바랐는데, 이때 'Holman'은 실제 영어 성씨와는 달리(본래 영어식 성씨에서는 그 뜻 기원이 다소 모호하다) 명확히 '구멍에 사는 사람'이라는 뜻을 의도했기 때문이다. 하지만 'Gamgee'에 대해서는 '의미 없는 단어'로 취급하여 번역 언어의 사정에 맞게 음차하여 기록할 것을 당부했다.

주로 문제가 되는 것이 영어 이름인 만큼, 호빗 이름을 먼저 살펴보자. 호빗의 이름은 여러 형태를 갖는다. 즉, 이름, 성씨, 별칭, 수식어 등이 조합되는 것이다. 엘라노르의 수식어에는 '가인(the Fair)'이 있다. 홀만(Holman)에게는 '호빗골의 푸른손(the greenhanded of Hobbiton)'이라는 수식어가 있었는데, 그의 아들 할프레드는 아버지의 수식어를 물려받아 성씨로 '푸른손(Greenhand)'을 갖게 된다. 즉, '푸른손네 할프레드(Halfred Greenhand)'가 전체 이름이 되었다. 그리고 푸른손네 할프레드는 '정원사(gardener)'라는 별명이 있었다.

보다 일관된 설명을 위해, 아래의 가계도 예시를 함께 살펴보자.

Hamfast of Gamwich

Wiseman Gamwich

Hob Gammidge the Roper ('Old Gammidgy')

Hobson (Roper Gamgee)

Andwise Roper of Tighfield ('Andy')

위에서 차례대로 부자관계에 있는 이들이다(『반지의 제왕』 해설편 샘와이즈 가계도 참고). 'of Gamwich'는 정식 성씨는 아니고 출신지를 밝히는 수식어이다. 레오나르도 다빈치의 '다빈치' 같은 것이다. 한국어로 치면 부인에게 출신지에 '댁'을 붙여 부르는 것이 비슷한 예라 하겠다(이를테면 수원댁, 충주댁 등). 그런데 그것이 굳어지면서 다음 세대에서 성씨로 바뀐다. 그리고 그것이 성씨로 고정은 되나 발음이 변화하면서 마침내 후대에서는 '감지'로 굳어지게 된다. 그런데 'Hob Gammidge'에게는 따로 수식어가 있는데, 이것이 'the Roper'이고, 별칭으로는 'Old Gammidgy'가 있다(괄호 안은 당시 호빗들이 흔히 부르던 별칭).

톨킨은 가급적이면 이 모든 관계들이 번역 언어에서도 잘 드러나길 바랐다. 물론 이것을 한국어에서 모두 반영하는 것은 터무니없는 일일 것이다. 예컨대 Hobson은 Hob의 아들이기 때문에 붙은 이름이나, 한국어에서는 이런 이름 세습을 보기 어렵다. 게다가 Gamwich → Gammidgy → Gamgee로의 이름 변화를 역어에서 반영하는 것은 더욱 무리이다.

요소를 하나씩 살피면, 먼저 성씨 대부분은 번역하도록 지시했다(Cotton, Baggins, Bracegirdle 등). 그러나 'Gamgee'라는 단어는 음차하라 했으므로, 이 성씨 변화는 원어대로 '감위치', '가밋지', '감지'로 음차될 것이다. 한편, 이름은 일부는 번역하라 했지만 또 일부는 번역하지 않길 바랐다. 즉, 'Holman'이나 'Cotman'은 번역하길 바랐지만, 다른 이름에 대한 말은 없고, 무엇보다 프로도, 샘, 피핀이나 메리의 이름을 한국어 역본에서 바꿀 수는 없다. 따라서 'Hamfast', 'Hob', 'Wiseman' 등의 이름은 가능하면 건드리지 않는 것이 좋은 상황이다.

일부만 번역되는 것도 매우 혼란스러우므로, 본 개정판 번역에서는 '[성씨]네 [이름]'의 구조를 갖기로 하고 [이름]에 해당하는 단어는 일괄적으로 음차하기로 했다. 즉, '감위치네 와이즈만'이 되는 것이다. 비록 'Holman'은 번역하라 했지만 혼란을 피하기 위해 '홀만'이라 유지하기로 했다. 성씨는 번역하는 것을 기준으로 삼지만, 어원 자체가 알려진 바가 없는 경우가 있어 모든 성씨를 번역하는 것은 불가능했다.

이름과 성씨 다음으로 별명이나 수식어가 있는데 이들은 번역하게 된다. 'Gandalf the White'를 '간달프 더 화이트'라고 쓸 이유는 없기 때문이다. 그러므로 'of Gamwich'는 '감위치의' 혹은 '감위치 출신의'라고 번역될 것이다. 그럼 'the Roper'는 어떠한가? 별칭이기 때문에 번역 대상이지만 'the Roper'의 의미가 무엇인지 알아야 한다. 이것은 톨킨의 설명을 읽어야 하는데, 앞서 감위치네 와이즈만이 이사를 가 그곳에서 '밧줄 꼬는 일(rope-walk)'을 가업으로 삼았다고 되어 있다. 즉, 여기서 'Roper'의 의미는 '(직업으로서) 밧줄을 엮는 이'라는 뜻이 된다. 그러므로 'the Roper'는 '밧줄장이' 따위의 이름이 되는 셈이다. 한국 근현대 소설로 치면 "거 그놋말에 사는 줄장이 있잖소?" 같은 분위기이다. (감위치네가 사는 곳 이름은 'Tighfield'인데 'Tigh-'가 줄(tie)의 옛말(그놓)이기 때문에 필자 마음대로 '그놋말'이라 해보았다. 물론, 실제 'Tighfield'의 번역은 다른 단어일 것이다.)

한편, 요정어, 로한어, 난쟁이어, 북부인 언어나 아두나이어 등의 이름은 호빗이 '생경하게 여기는 이름들'이기 때문에 굳이 번역할 필요가 없다. 굴론 이 이름들이 공용어로 번역된 싯이 끌니 있니면 그것은 번역한다. 예를 들면, 같은 사람의 이름이지만 '에스텔(Estel)'은 요정어이기 때문에 음차하고 '성큼걸이(Strider)'는 공용어의 영어 번역어이므로 한국어로도 번역된다. 그런데 각각의 단어가 처한 상황이 다양해서 간혹 영어라도 음차하기도 한다. 예를 들어 'Shadowfax'라는 이름이 있다. 톨킨은 이것이 고대영어식 이름 'sceadu-fæx'의 '영어화된(Anglicized)' 이름이라고 밝혔다. 이 '영어화'는 '공용어화'와는 다른데, 이 때문에 'Shadowfax'는 '영어화되었지만 공용어는 아니다'라고 첨언해놓았다. 이 경우 톨킨은 (1) 본래 고대영어식 이름의 축약형, 즉 'Scadufax'로 옮기든지, (2) 만약 번역 언어가 게르만 어족일 경우 어근을 좇아가 번역 언어에 맞게 고치라고 지시했다. 따라서 소설 원문에 등장하는 'Shadowfax' 단어 자체는 현대 영어식 발음을 좇아 '섀도팩스'라고 읽어야 하지만(그래서 영화에서는 '섀도팩스'라 읽는다), 한국어 번역서에서는 (1)번 지시를 따라 '샤두팍스'라고 옮기게 되는 것이다.

A-2. 지명

지명의 경우에도 '번역되어 공용어화된 이름들'을 영어로 옮긴 것이므로, 이들이 모두 적절하게 번역될 것을 지시했다. 이들은 모두 소설의 정교한 장치였기 때문인데, 한국어에서 상황을 다소 간단히 빗대보면 다음과 같다.

옛날에는 한국어로 '구라파'라고 하면 유럽을 뜻하는 말이었다. 그러므로 소설에서 어떤 인물이 '유럽'이라 하지 않고 '구라파'라고 말한다면, 그것은 소설 장치로 기능하며 이 인물의 특성을 암시하게 된다. 만약 이것이 영어로 번역될 때 '유럽'과 '구라파' 모두 'Europe'이라 번역된다면 장치 기능이 모두 죽어버린다. 톨킨은 그것을 최대한 살려달라 지시한 것이다. 지명 역시 단어마다 다양한 상황이 있는데, 아래는 지명의 번역에 대한 몇 가지 사례이다.

✤ Firienwood

톨킨은 이 단어의 앞부분, 즉 'Firien'은 "로한어이므로 그대로 두어라"라고 써놓고 동시에 단어의 뒷부분 '−wood'에 대해서는 "Firienholt의 '−holt'를 번역한 것으로 '−wood'는 번역해야 한다"라고 지시했다. 그러나 반대로 "Firienfeld의 '−feld'는 '벌판(field)'의 옛 형태를 유지한 것이므로 번역하지 않았으면 좋겠다."라고 썼다. 따라서 'Firienwood'는 '피리엔우드'가 아니라 피리엔숲이 되었고 'Firienfeld'는 '피리엔펠드'라고 음차하게 되었다.

⚜ Archet / Chetwood

브리(Bree)의 지명들은 또 다른 경우에 속한다. 톨킨이 밝히길, 공용어나 호빗 방언보다 브리의 지명들은 그 기원이 오래된 것이라서 호빗이 보기에 이질적이라 느꼈다고 한다. 그래서 브리의 이름 중에는 번역하지 않을 것을 지시한 것도 있다. 이를테면 톨킨은 '아쳇(Archet)'은 켈트어에서 유래한 단어로서 남겨둘 것을 지시했다. 하지만 '쳇숲(Chetwood)'의 경우, 'Chet-'은 아쳇의 '-chet'과 마찬가지로 켈트어에서 왔으나 '-wood'는 현대 단어를 가져온 것이므로 후자는 피리엔숲의 경우와 마찬가지로 번역해야 한다.

⚜ Gladden Field

이 단어는 '붓꽃'을 뜻하는 옛 단어 '글래대너(glædene)'에서 가져온 것으로 번역하거나 지시했으며 '붓꽃'에 해당하는 단어이기 '일상적 단어가 아니길 바란다'고 써놓았다. 한국어는 다행히 붓꽃에 대응하는 '꽃창포'가 있기 때문에 창포벌판이라 번역했다.

⚜ Isengard

이것의 원어는 공용어이다. 그러므로 원칙적으로 번역을 해야 할 터인데, 톨킨은 이에 대해 '너무 옛날에 번역된 경우라서 『반지의 제왕』 시점에서는 그 뜻을 아는 이가 거의 없는 고어(古語)

가 되어 있었다'라고 설명한다. 그렇기 때문에 톨킨은 게르만 어족이 아니라면 이 단어를 번역하지 않는 것이 좋겠다고 써놓았다. 따라서 한국어에서는 이것을 음차하여 적는다.

그렇다면 이 단어는 어떻게 읽는 것일까? 현대 영어가 아니라 옛 영어 형태이기 때문에 그대로 읽자면 '이센가르드'가 된다. 그러나 이 단어는 '공용어화된' 이름이기 때문에 현대 영어 방식대로 읽어야 한다. 결과적으로 이 단어는 '아이센가드'라 발음하게 되며 톨킨 역시 그렇게 발음했다. 따라서 한국어 역본에서는 '아이센가드'라고 적고 있다.

✦ 로한의 지명

로한의 지명들은 그 행정 구조를 이해해야 할 뿐만 아니라 영어와 로한어(고대영어) 형태가 이리저리 섞여 있어, 번역 지침과 단어의 뜻을 유심히 살펴야 했다. 로한인은 자국 땅을 '마크(Mark)'라고 불렀다고 하는데, 이 단어는 유럽에서 예로부터 '변경(지대)'이라는 뜻을 가진다(덴마크의 −mark도 그러하다). 로한인들은 자신들이 곤도르 영토의 북쪽 변경을 하사 받았다 생각했기 때문이었다. 그들은 이 큰 봉토를 남북으로 가로지르는 강, 즉 '엔트강(Entwash)'을 기준으로 삼아 서쪽과 동쪽 땅으로 양분하였다. 이것이 서마크(West-mark)와 동마크(East-mark)이다. 두 마크의 남부, 즉 사람이 주로 사는 백색산맥 산록은 각각 특별히 웨스트폴드(Westfold)와 이스트폴드(Eastfold)라고 불렀다. 이는 그 둘의 중앙에 있는 왕궁(에도라스)과 그 일대의 귀족들이 사는 '특별 행정 구역'을 '폴데(Folde)'라고 했기 때문이다.

국경 지역들 중 동남쪽에서 곤도르와 맞닿은 습지대(fen)는 펜마크(Fenmark) 혹은 펜마치(Fenmarch)라고 불렀다. 그리고 서마크 서쪽 끝 로한관문(Gap of Rohan) 그 너머에 분포하는 변경지대는 서부변경(West-march)이라고 했다.

이 단어들이 어떻게 번역되었는지 하나씩 살피면 다음과 같다. 톨킨은 펜마치(Fenmarch)는 본래 펜마크(Fenmark)라고 옮겨야 하지만 영문판에서는 이미 펜마치라 사용되었기에 바꾸지 않고 유지했다고 썼다. 그래서 각국 역본에서는 펜마치(Fenmarch) 대신 펜마크(Fenmark)로 옮겨달라 당부했다. 또한 마크(Mark)는 번역하기에는 어려운 위치에 있는 단어인데다가 공용어가 아니기 때문에 '마크'로 음차하게 되었다. 그러므로 'West-mark'는 서마크, 'East-mark'는 동마크가 되는 셈이다. 반대로, 'West-march'는 로한어가 아니라 공용어 형태라고 밝혔기 때문에 '서부변경'으로 번역되어야 한다. 동시에, 로한 지명들인 웨스트폴드(Westfold), 이스트폴드(Eastfold), 이스템넷(Eastemnet), 웨스템넷(Westemnet)에서 등장하는 'East'와 'West'는 공용어에서 가져온 것이 아니므로 번역하지 말라고 써놓았다. 이 때문에 어떤 'west', 'east'는 번역되고 어떤 것은 음차되어 있는 것이다.

4. 3. 기타 영어 고유어

고유어 중에서는 일반 단어로 구성돼 있지만 대문자이기 때문에 특별한 의미를 갖는 단어들도 많이 있다. 앞서 the Deep, Cotton, the Guard 등은 좋은 예이다.

더 까다로운 예를 들자면, 'enemy'라는 단어는 일반명사로 곳곳에 등장하며, 그 뜻 역시 여느 '적(enemy)'과 같다. 그러나 'the Enemy'의 경우에는 맥락에 따라 '사우론' 혹은 '모르고스'를 지시한다. 『반지의 제왕』의 경우에는 해설을 제외하면 언제나 사우론을 의미한다.

또한 'the Wise'의 경우에는 톨킨의 이야기 전체에서는 '장수를 누리고 학식을 갖춘 소수의 지식인들'을 의미하는데, 『반지의 제왕』의 배경이 되는 제3시대에서는 특별히 백색회의에 참가하는 명망 있는 요정과 마법사들을 이른다. 'The Firstborn'은 언제나 '요정'을 이르는 말이며, 'the West'는 일반적인 서쪽이 아니라 불사의 민족들이 사는 '진짜 서쪽', 즉 '서녘'을 의미한다. 이들은 맥락을 잘 살펴 어느 한쪽만을 지시하는 단어가 되지 않도록 번역을 점검하고 작품 내에서 통일성을 갖추도록 살필 필요가 있다.

영어에서는 신경 쓸 필요가 없지만 한국어로 옮길 때는 조심해야 하는 상황들도 있다. 예컨대, 'Old Toby'의 경우 호빗 인물을 가리킬 때도 있지만 맥락에 따라서는 'Old Toby'라고 부르는 담배 이름이기도 하다. 번역이 '토비 영감'이기 때문에 '토비 영감을 피운다'는 표현이 다소 어색해져 '토비 영감'이 상표명일 때는 '토비영감'이라고 붙여쓰기를 하게 되었다.

영어에서는 문제가 없는데 한국어로 번역하는 과정에서 어려움을 겪는 또 하나의 예는 'Wizard'가 '마법사'로 번역되면서 나타나는 파생 효과들이다. 'Wizard'라는 영단어의 어원은 정확히 추적되지 않은 상태로 남아 있지만, 적어도 『반지의 제왕』에서는 'Wise'와의 형태상의 유사성을 암시하여 만든 이름이다. 전통적으로 이들은 '마법사'로 번역되었기 때문에 이것을 바꾸기는 어렵지만, 문제는 '마법'이라는 단어에서 비롯된다. 톨킨의 소설에서는 초자연적인 행위를 묘사하거나 암시하는 다른 단어들이 다양하게 나타난다. 'Necromency, sorcery, magic, (black) arts, device, power, might' 등이 모두 의미는 다르지만 맥락에 따라 신화적 혹은 마법적 행위들이 암시된 경우이다. 여기서 'magic'과 'sorcery'는 모두 '마법'으로 번역되어왔다. 그러나 톨킨의 소설에서 'magic'은 '진보된 기술력이나 타 민족의 능력을 이해하지 못한 이들이 그것을 뭉뚱그려 일컫는 말'이고, 'sorcery'는 특히 화자가 적으로 규정한 대상에게만 적용되는 부정적 단어이다. 그래서 지금껏 '마법사'와 'sorcery'는 서로 상극임에도 같은 번역어를 공유하는 상황에 놓여 있었다. 이를 해결하기 위해, 'sorcery'는 '마법' 대신 '마술'이라는 단어를 써 구분하게 되었다. 이 결정은 기존에 이미 번역되어 굳어진 '마술사왕(Witch-king)'이라는 인물의 사악함과 일맥상통한다. 비록 'Witch'가 'Wizard'와 같은 어근(wicca)을 공유하지만 말이다.

앞서 언급된 단어 'power'는 톨킨의 소설에서 대단히 다양한 뜻으로 사용되며, 맥락에 따라 신적 권능이라는 뜻도 되지만, 정치적 세력이라는 뜻도 있고, 물리적인 힘이라는 뜻도 있다. 동시에 유사한 뜻을 공유하는, 그러나 동의어는 아닌 'might'도 공존한다. 이 단어들을 섬세하게 번역하는 일은 쉬운 일이 아니며, 맥락을 유심히 살펴야 적절한 번역이 가능한 경우라 하겠다. 예컨대, 'the Dark Power of the North'는 고유어로서 '모르고스'의 별칭이다. 이때 'Power'는 대문자로 시작하여 신적인 힘, 즉 발라 혹은 그에 상응하는 것을 의미하며, 따라서 '북부의 악의 권능' 즉 멜코르를 의미한다.

III-B. 영어가 아닌 경우

현대 영어로 갈음되지 않은 단어들은 원칙상 음차하게 된다. 단, 앞서 강조된 대로 '단어 전체가 영어가 아닌 것인지' 확인해야 한다. 문제는 이것이 영어가 아닌 것을 알아도, 어떤 언어인지를 알아야 적절한 음차를 할 수 있다는 것이다. 왜냐하면 톨킨의 표기법상 어떤 언어인가에 따라 같은 철자라도 발음법이 상이하기 때문이다. 톨킨에게 있어서 언어 창작은 단순한 단어 제작이 아니라, 언어의 구체적인 변천사와 방언 형성이라는, 문헌학자에 걸맞는 행위였다. 그래서 『반지의 제왕』 이외의 톨킨 책까지 번역하고자 한다면, 각 인공어의 발음조차 허투루 넘겨짚을 수 없게 된다.

『반지의 제왕』 해설 E에는 다소 간략한 발음 설명이 첨부돼 있지만 그것만으로는 부족하다. 『반지의 제왕』에 사용된 인공어의 폭이 워낙 넓어서 등장하는 단어의 발음을 모두 간파하려면 각 언어에 대한 상당한 조예가 있어야 한다. 어떤 경우에는 정답이 알려지지 않아, 알려진 규칙들을 기반으로 최선의 발음을 유추해야 했다. 예컨대, 'balchoth'에서 'balc-'는 공용어 기원이지만, '−hoth'는 신다린 기원이다. 일반적으로 톨킨의 로마자 표기상 'ch'는 무성 연구개 마찰음에 대응된다. 그러나 'balchoth'의 경우는 두 단어의 합성어이며 신다린의 경우 합성어 경계에서 두 자음이 독립적 발음을 따르는 경향성을 갖는다. 그러므로, 비록 'balchoth'가 정확히 어떤 발음이었는지는 알려져 있지 않지만, 한국어 음차에서는 '발코스' 대신 '발크호스'를 선택하게 되었다.

수정된 단어 중 어떤 것들은 잘못된 발음대로 널리 알려져 거의 '고착화'된 경우도 있었지만 과감하게 수정하는 결정을 내렸다. 이는 곧이곧대로 옳은 발음을 따라야 한다는 단순한 이유는 아니다. 앞서 언급한 대로, 톨킨의 소설에 있어 언어는 도구라기보다는 그 자체가 목적이고 생명이다. 이에 걸맞게 그의 언어에 대한 설정은 대단히 치밀하여 잘못된 음차가 용납되지 않는다. 즉, 톨킨의 소설에 있어서는 발음 자체도 당당히 작품의 한 부분을 차지한다. 현실적으로도, 번역 예정인 다양한 톨킨 관련 서적에서도 언어에 대한 설명과 고유어가 폭넓기 때문에 향후 일어날 여러 가지 충돌을 미연에 방지하기 위해서는 발음 교정이 필요하다.

B-1. 실제 언어를 기반으로 한 경우

『반지의 제왕』에는 자연어 중에서 고대영어, 중세영어, 고대노르드어, 고트어 등을 기반으로 한 단어들이 등장한다. 이들은 공용어가 아닌 언어에 대응되므로 번역하지는 않으나, 음차는 해당 자연어를 따른다. 아래와 같은 예들이 있다.

✤ Ælfwine

고대엉이 형태의 이름이다. 요성(Ælf)의 친구(wine)라는 뜻이다. 비록 고대영어에서 유성음 사이에 놓인 f는 유성음화되어 [v] 발음이 되지만, 이 경우 두 구성 요소 간의 경계에 놓여 유성음화 대상에서 제외되었다. 이는 톨킨이 고대영어 형식의 단어를 구축할 때 각 요소는 고대영어 발음법을 그대로 따르지만, 단어의 합성에서는 합성된 요소의 기원 단어를 유추할 수 있도록 의도했기 때문이다. 그러므로 이 단어의 음차 결과는 '앨프위네'가 된다. 마지막 'e'의 경우 고대영어 변천사에 따르면 약한 발음('어' 발음)이 될 수도 있지만, 『반지의 제왕』번역에서는 질사를 보니 냅새신씌히고 닉낙힌 음지를 뻐갛힐 ㅓ 있도록 '위너' 대신에 '위네'라고 표기하였다.

✤ Frealáf

역시 고대영어 형태의 단어이다. 인공어 신다린과 달리, 고대영어에서는 어미의 f가 유성음화되는 것(f → v)이 일어나지 않는다. 따라서 이는 '프레알라브'가 아니라 '프레알라프'가 된다.

✤ Mearas

간달프가 타고 다니는 말 '샤두팍스' 마종의 이름인데, 예전에는 이것이 'Meara'의 복수형인 것으로 잘못 알려져 있었다. 그러나 이것은 고대영어 이름(mēaras)으로, 이것의 단수형은 'M(e)arh' 이다. 따라서 메아라 종(種)이 아니라 메아르 종이라고 고치게 되었다.

✤ Scatha

고대영어 단어이다. 고대영어에서 sc-는 영단어 'shower'의 sh 발음[ʃ]에 해당하고, 가운데 'th'는 모음 사이에 놓여 유성음화 되므로, '샤다[ʃɑðɑ]'로 읽힌다. 다만, 영어에서 'sc-'가 노르드어 기원인 경우에는 [s+k] 발음이 유지되기도 했으므로[e.g. scatter (고대노르드어 기원) vs. shatter (고대영어 기원)], 만약 이것이 현대 영어 발음이라면 기존 음차인 '스카사'가 완전히 불가한 상황은 아니다. 다만, 'Scatha'라는 단어 자체를 톨킨이 고대영어 형태 라고 명시했기 때문에, 번역에서는 고대영어 그대로의 발음 '샤 다'를 따르게 되었다.

✤ Gandalf (현행 유지 단어들이나 고대노르드어 기반 단어들의 예로 제시함)

고대노르드어 gandalfr(wand-ælf)에서 영어화된 단어이므로 음차한다. 『호빗』에서 등장하는 다른 난쟁이들의 이름은 너른 골(Dale) 사람들의 언어에서 유래하는 것으로 알려져 있다. 애 당초 난쟁이들은 자신들의 '진짜 이름'을 밝히는 경우가 드물 어 너른골 주민들이 부르는 이름들이 고착화된 것이다. 너른 골 언어는 북게르만어군의 뿌리를 이루는 고대노르드어로 치 환되어 번역되었다. 이러한 예로는 스로르(þrór, thror), 드왈린

(Dvalinn, Dwalin), 아르켄스톤(고대영어: eorclanstán, 고대노르드
어: jarknasteinn, 현대영어: Arkenstone), 참나무방패(Eikinskjaldi,
Oakenshield) 등이 있다. 이들 중 참나무방패는 영어화된 '별칭'
이기 때문에 번역되어 있음을 밝힌다.

✦ **Vinitharya**
『반지의 제왕』 해설에 등장하는 이 이름은 고트어에서 유래한
것이다. 이 단어 앞의 것은 고대노르드어 Vindr(독일 인근에 살던
슬라브족을 부르던 말)에 해당한다(vindr-herr). 그러므로 th가 서
로 독립이며, '비니사랴'가 아니라 '비닛하랴'라고 음차하게 되
었다.

B-2. 인공어

톨킨이 직접 만든 인공 언어의 경우에도 언어에 따라 같은 철자라
도 발음이 서로 다르다. 예컨대 'kh'는 난쟁이어에서는 기식음이 있
는 무성 연구개 파열음[kʰ]을 의미하지만 신다린과 아두나이어에서
는 무성 연구개 마찰음[x]을 의미한다. 특히 요정어에서는 kh 대신
'ch' 표기가 선호되며, 동시에 'ch'는 서부 공용어에서는 무성 후치경
파찰음[tʃ](영단어 church의 ch 발음)이 된다. 이러한 차이들을 자세
히 기술하는 것은 큰 의미가 없을 것이므로, 여기서는 몇 가지 예시
만을 제시한다.

B-2.1. 난쟁이어

난쟁이어는 알려진 단어 자체가 그리 많지 않으며 발음이 복잡한
상황이 적어 대부분의 변경은 th, kh에 대한 것이다.

✤ Gabilgathol

이 단어는 난쟁이어 단어이기 때문에 th가 기식음이 있는 무성 치경 파열음[tʰ]에 해당한다. 즉 읽자면 '가빌가톨'이다. 다만 난쟁이어의 독특한 표기 체계인 'th'와 'kh'가 요정어와 구분되는 주요 특성이고 특히 난쟁이어에서 기식음이 강했다는 설명을 근거로 이를 [ㅌ+ㅎ] 및 [ㅋ+ㅎ]로 구분하여 음차하자는 의견을 수용하였다. 따라서 '가빌가트홀'로 수정되어 있다. '크하잣둠', '크후즈둘' 등도 같은 경우이다.

✤ Nulukk(h)izdĭn

『실마릴리온』에 등장하는 이 단어는 본래 Nulukkizdĭn이라 쓰여 있다. 그러나 후에 크리스토퍼 톨킨이 이 단어의 본래 철자는 Nulukkhizdĭn이 옳으며, Nulukkizdĭn은 오타인 것으로 보인다고 밝혔다. 다만, 이것이 밝혀진 뒤에도 크리스토퍼 톨킨은 『실마릴리온』에서 이 철자를 고치지 않고 유지했다. 이것이 어떤 의도인지에 대해서는 더이상 알려진 바가 없으나, 만약 '옳은' 발음을 살린다면 '눌룩크히즈딘'으로 옮겨질 것이며, 원문의 오타를 그대로 존중해준다면 '눌룩키즈딘'이 될 것이다.

B-2.2. 요정어

요정어의 경우에는 더 복잡하다. 일단 무엇보다 요정어를 크게 양분하는 신다린과 퀘냐는 읽는 법이 조금 다르기 때문이며, 각 언어마다 시대별 발음법이 다소 다르기 때문이다. 옛 형태는 소설 본문에서 언급되는 바가 전혀 없지만, 해설에서 아주 드물게 언급되어 있다. 여기서는 '고대요정어'의 예는 들지 않았다. 예시를 통해 이번 개정에서 논의되었던 사항 몇 가지를 보여주고자 한다. (Q=퀘냐

✦ hrívë (Q)

어두에 등장하는 hr/hl(S. rh/lh)는 r, l의 무성음이기 때문에 h+r 발음이 아니다. 즉, 어두 'hr(Q)' 혹은 'rh(S)'는 무성 치경 전동음 [r̥]이며, 어두 'hl(Q)'와 'lh(S)'은 무성 치경 설측 접근음[l̥]이다. 그러므로 '흐리베'라고 옮겨졌던 것을 '리베'라고 옮기게 되었다. 신다린의 예로는 로바니온(Rhovanion)이 있다. 그러나 어중의 hr, hl, rh, lh는 단자음이 아니라 두 자음의 합이다. 즉, 신다린 단어 gaurhoth, glirhuin의 rh는 r＋h가 맞다. 기존에는 이것이 '가우로스'와 '글리루인'으로 돼 있었으나, 이 규칙에 따라 '가우르호스', '글리르후인'으로 바뀌었다.

✦ Angmar (S)

단어 'Angmar'의 발음은 '앙그마르[aŋgmɑr]'가 아니라 '앙마르 [aŋmɑr]'가 옳다. 그러므로 해당 발음의 오류가 있었던 곳들은 모두 고쳐진다. 이는 톨킨이 정리한 요정어의 역사에서, 연구개 비음[ŋ] 뒤에 유성 연구개 파열음[g]이 뒤따르게 변화한 경우는 'ng' 뒤에 [l], [r], [w] 발음이 붙는 경우로 국한되어있기 때문이다. 그러므로, 'ng' 뒤에 b, m, h 등이 오는 경우에는 연구개 파열음이 뒤따르지 않는다. 이와 같은 이유로 수정되는 단어들은 다음과 같다. '앙반드(Angband)', '앙보르(Angbor)', '앙마르 (Angmar)', '앙하바르(Anghabar)'.

✦ Ioreth (S)

신다린에서 맨 앞에 오는 i 바로 뒤에 모음이 오면 경구개 접근음[j]이 된다. 그래서 '이오레스'가 아니라 '요레스'이다.

✤ Lothlórien (S+Q)

어중에서 l 발음은 한국어로 [ㄹ+ㄹ] 형태를 갖기 때문에, '로스로리엔'보다 '로슬로리엔'이 더 옳다는 의견이 오랫동안 제시돼왔다. '로슬란(Lothlann)'과 같이 본래부터 [ㄹ+ㄹ]로 표기되어온 사례들이 있으므로 이는 음차의 일관성을 확보하는 것에 해당한다. 단, 현재 '하이픈'으로 구분되는 단어의 경우 [ㄹ+ㄹ] 형태를 따르지 않는다. 예컨대, 'Dor-lómin'은 '도를로민'이 아니라 '도르로민'이라고 기재된다.

✤ Enyd (S)

신다린에서 'y' 표기는 모음이며 한국어 단모음 '뉘', 즉 전설 원순 고모음[y]에 해당한다. 따라서 '에니드'가 아니라 '에뉘드'이다. 다른 경우에도 'y' 발음이 잘못 옮겨진 경우는 정정하였다.

✤ Maedhros (S)

『실마릴리온』에 등장하는 페아노르의 아들이다. 고전적 신화를 닮은 『실마릴리온』에서 제법 입체적인 인물이라 인기가 많음에도 불구하고, 오랫동안 음차가 다소 혼란스러웠다.

신다린에서 'ae'는 'ai' 발음과 구분된다. 즉, 'ae'는 '아에[aɛ]'이고, 'ai'는 '아이[ɑi]'이다. 그러나 톨킨은 영어에 이중모음 [aɛ]가 없음을 잘 알았으며, 영어 화자들이 [aɛ]를 거의 [ɑi]처럼 발음할 것임을 알고 있었다. 그래서 톨킨은 'ae'를 'ai'처럼 발음할 수도 있을 것이라고 첨언해두었다. 한국어의 경우 고정된 발음을 갖는 모음 'ㅔ[ɛ]'가 편리하게 있으므로 이를 고민할 필요가 없다. 즉, '마이드로스'가 아니라 '마에드로스'가 되는 셈이다.

마찬가지로 oe 역시 oi와는 다르므로, 구분하여 적는다. '니르나에스 아르노에디아드(Nirnaeth Arnoediad)'라는 신다린 단어에는 'ae'와 'oe'가 모두 등장한다. 'ae'는 상당히 흔하게 등장하는 모음이기 때문에, 신다린의 많은 이름들이 고쳐지게 되었다. 몇 가지 예시를 더 보면 다음과 같다. '디르하엘', '아가르와엔', '다에론', '아에글로스', '아엘루인', '크릿사에그림' 등.

✦ Alqualondë (Q)

『실마릴리온』에 등상하는 요정들의 시녈 항구 도시 이름이다. 퀘냐에서 'qu'는 [kʷ]이며, k 발음 뒤에 들러붙은 접근음(w) 발음이다. 그래서 이는 두 개의 독립된 발음으로 취급하지 않아 하나로 묶는다. 이를 반영해 한국어 음차에서도 하나로 묶어주었다. 즉, '알쿠알론데'가 아니라 '알콸론데'가 되었다. 이미 '퀘냐(Quenya)', '퀜디(Quendi)' 등의 단어에서 묶여 있기 때문에, 이것 역시 통일성 확보로 이해할 수도 있다. 따라서 잘못 표기된 다른 단어의 'qu' 발음도 마찬가지로 수정되었다.

또한 퀘냐에는 (비슷한) 또 다른 자음 결합들이 있는데, ny, ty, hy 등이 그것이니(ㄲㅔㅆ ㅗ립), 이는 '냐', '냐', '야'노 발음되므로, 이에 따라 통일하였다. 예컨대 'Tar-Minyatur'는 '타르미뉘아투르'가 아니라 '타르미냐투르'가 된다.

이외에도 여러 예시가 있으나, 여기서는 요정어의 복수형에 대한 문제만 추가로 언급하고자 한다. 『반지의 제왕』과 『실마릴리온』은 인공어의 복수형으로 특정 민족을 나타내는 경우가 잦다. 예컨대 놀도르(Noldor)는 놀도(Noldo)의 복수형으로 특정 요정 민족을 지시하는 단어이다. 마찬가지로 발라르(Valar)는 신적인 존재인 '발라(Vala)'의 복수형이다. 하지만 원문에서 'the Noldor'가 나타났을 때, 이를 '놀도들은'이라고 번역해야 하는지, 아니면 '놀도르는'이라고 번역해야 하는지 결정해야 한다. 이 문제에 대해서는 지금까지 『반지의 제왕』과 『실마릴리온』 간에 합의조차 돼 있지 않았기에 서로 다른 여러 가지 표기가 공존하는 상태였다. 기존의 '놀도르들', '놀도르족'과 '놀도르 요정들'은 대표적인 번역 형태였다.

'Noldor'는 이미 많은 곳에서 '놀도르'라는 음차가 압도적으로 선호되어 왔기 때문에 이것을 '놀도들'이라고 쪼개는 것은 어렵다. 그러므로 '놀도르'를 유지하게 되는데, 이 때 '놀도르'가 이미 복수형이므로, '놀도르들'은 탈락하였다. (고대)영어 형식의 군집 복수형 어미 '-ling(a)s'가 이미 '-족' 혹은 '-인'의 형식을 취하고 있기 때문에[예시: 베오른족(Beornlings), 던랜드인(Dunlendings)], 이들과의 구분을 위해 '놀도르족' 역시 탈락하였다. 그래서 현재 '놀도르' 내지는 '놀도르 요정들'이 선호되어 있다.

그런데 반대로 'Valar'의 경우 퀘냐 단어로서 마지막 r은 반드시 발음되기 때문에 음차는 '발라르'가 된다. 그러나 이 역시 '발라'로서 이미 너무 많이 알려져 있었다. 따라서 '발라르'는 탈락하고 '발라들'이라는 표현으로 굳어지게 되었다. 상황이 이렇기에, 복수형으로서 사용되는 모든 요정어 단어들에서 한국어 복수형 '-들'을 사용할 것인지 음차를 택할 것인지를 판단해야 했다. 예컨대 '페안투리(Feanturi)'는 언제나 복수형으로만 사용되기 때문에 '페안투르들'이 아니라 '페안투리'가 되었다. 반면, 단수형 '마이아'가 고착화된 '마이아르(Maiar)'의 경우에는 '마이아들'이 선택되었다. 이는 신다린으로 가면 좀 더 까다로운데, '에다인(edain)'의 단수형은 '아단(adan)'이며, 둘 다 『반지의 제왕』에서 소개되기 때문이다. 즉, '두네다인'과

'두나단'이 모두 등장한다.

위와 같은 이유로, 각 복수형은 각기 단어가 놓인 상황에 따라 번역되었으며 특별한 단어들에 한해서만 한국어 복수형을 채택하게 되었다. 일반적 경향성은 '집합명사'로서 기능하는 경우에는 요정어 음차를, 단순한 복수형으로서 사용되는 경우에는 한국어 복수형을 채택하였다는 것이다. 전자는 '올라이리', '페안투리', '모리퀜디', '팔마르', '이스타리' 등이 있고, 후자로는 '팔란티르(들)', '아이누(들)', '발라(들)' 등이 있다.

IV. 수치 단위

『반지의 제왕』에는 여러 길이 및 무게 단위들이 등장한다. 그런데 이 단위들은 당시 영국 화자들이 편리하게 생각하는 것들로 꾸며져 있다. 마일(mile), 피트(foot/feet), 리그(league), 야드(yard), 인치(inch), 패덤(fathom), 네일(nail), 펄롱(furlong), 파운드(pound), 파인트(pint) 등이 그것이다. 주로 길이 단위에 해당하는데 어떤 것들은 많이 들어본 단위일 수도 있고, 어떤 것들은 요즘 사용되지 않아 시 빙시 빈바시로 빌세노 이빈 실이빈시 신시빈시인 싯토 있니. 네컨대 펄롱은 옛날에 소가 쉬지 않고 한번에 갈 수 있는 밭고랑(furh)의 길이(lang)를 뜻하는 단위로서, 현재 기준 약 200미터를 의미하지만, 요즘은 잘 쓰이지 않는다. 패덤 역시 흔히 접하기 어렵다. 이것은 깊이를 표기하는 길이 단위로 약 1.8미터 정도 된다. 이는 부분적으로는 영국이 현재 우리가 익숙한 미터법을 공식적으로 도입한 게 1965년이기 때문이기도 하고(『반지의 제왕』 출판으로부터 10여 년 후), 또 한편으로는 톨킨이 자신의 소설에 토속적인 느낌을 더 주기 위함이기도 했다.

본문에서 사용되는 예를 보면, 크하잣둠의 다리는 'fifty feet' 길이라고 묘사된다. 미터법에서는 15미터에 해당한다. 이때 두 가지 가능성이 있는데, 이를 '15미터'라고 번역하는 방법이 있고, 한편으로는 원문대로 '50피트'라고 번역하는 방법이 있다. 다른 예로, 아래와 같은 문장이 있다.

『반지 원정대』 중 크하잣둠의 다리로 도망치는 대목:

At the end of an hour they had gone a mile, or maybe a little more, and had descended many flights of stairs.
번역: 한 시간 남짓 그들은, 적어도 1.5킬로미터/1마일 이상 걸어서 많은 계단을 내려왔다.

전자의 경우(미터법)에는 우리가 익숙해하는 단위로 표기하기 때문에 직관적이므로, 묘사에 적합하다는 강점이 있다. 모름지기 '묘사'라는 것은 읽자마자 눈앞에 그것이 그려지듯, 혹은 '규모에 대한 감이 잡히도록' 도와주는 것이 좋기 때문이다. 역으로 말해, 한국어 화자에게 익숙하지 않은 단위를 제시하면 묘사를 재빨리 이해하는 데 방해가 될 것이다. 하지만 전자의 단점은 소수점이 생기거나 원문과 달리 매우 '구체적인 숫자'가 등장하게 된다는 것이다. 사실 숫자를 표기하는 방법에 따르면, '1.5킬로미터'라는 표현에는 (유효숫자가 두 자리가 되므로) 오차 범위가 수십 미터 혹은 십수 미터인 실측값이라는 의미가 내포되어 있다. 그러나 원문은 어림짐작으로 대략 1마일 남짓한 거리라는 추정일 뿐이다. 같은 이유로, 20마일이라는 표현은 (한 자리 유효숫자로서) 대단히 부정확한 값을 어림짐작으로 제시하지만(10, 30은 아니지만 대략 20 근처), 이를 32킬로미터라고 제시하면 오차범위가 1킬로미터 내외인 실측값에 대응됨을 암시하게 된다. 이는 원문의 뜻 혹은 분위기를 다소 왜곡하는 효과를 갖는다.

이 문제는 상당히 오랫동안 역자들 사이에서도 논의가 있었던 쟁점이며 어느 쪽을 선택해도 아쉬운 상황이다. 현재는 미터법을 활용하기로 한 대신에, 아주 구체적인 값을 조금 피해서 왜곡을 최소화하는 방향으로 기재하고 있다. 예를 들어, 1마일의 정확한 변환은 1.61킬로미터이지만, 1.5 킬로미터(이는 관습적으로 1.6 킬로미터라는 표현보다 오차범위가 더 넓어지는 효과가 기대된다)로 표현하기로 한 것이다. 또한 앞서 20마일의 경우, 32킬로미터라고 적는 대신에 30여 킬로미터라고 제시하면 원문과 최대한 비슷한 효과를 줄 수 있다.

V. 2004~2005년 원문의 개정 반영

『호빗』, 『반지의 제왕』, 『실마릴리온』 등은 모두 초판 출간 이후 한 번 혹은 그 이상 원본 자체가 교정된 바 있다. 『호빗』의 경우 1937년 초판 출간 이후 『반지의 제왕』이 만들어지면서 그 내용과 일관성을 더하도록 하기 위해 수정되어 1951년 제2판 때 출판된 바 있다(흔히 1947 호빗'이라고도 알려져 있다). 이 교정 이후로 『호빗』에서 스로르(Thror)나 스라인(Thrain)이 등장하며, 무엇보다도 초판에서는 골룸이 내기에서 지자 반지를 주기로 마음 먹지만, 개정되면서 골룸이 약속을 어기고 반지를 주지 않으려 하는 것으로 바뀌었다. 톨킨은 이마저도 '손을 써놨는데', 1937년 초판은 빌보가 처음에 기록한 내용으로 '반지의 악영향'으로 기억이 왜곡된 것이며, 1950년도에는 실제 이야기가 쓰였다는 설명이 그것이다.

『반지의 제왕』의 경우에도 몇 차례의 교정이 더 있었는데, 가장 체계적이고 대대적인 교정이 앞서 말한 2004년에서 2005년에 이루어진 것이다. 이 대대적인 교정에 대해서는 책을 따로 펼쳐 설명해야 했는데, 교정 내역이 많을 뿐만 아니라 작가 사후 교정이었기 때문이다(이 교정에 대한 더 구체적인 설명은 『반지의 제왕』 서문 중 '60주년 기념판 서문'과 '텍스트에 관하여'를 살피면 좋다). 많은 내용은 톨킨이 의도한 것과 명백히 다른 오류를 고치는 것들이었다. 이 중에서도 흔히 교정된 내용은 대문자와 소문자가 바뀌는 것인데, 『반지의 제왕』 원문에서 대문자와 소문자가 해석에 대단히 중요한 영향을 행사함을 고려할 때 중요한 교정 중 하나였다. 다음과 같은 교정 사항을 예시로 제시한다.

[1] 『반지 원정대』 중 골룸의 행적에 대한 묘사에서 precious의 일부가 Precious로 바뀜 (2004년)

한국에서는 비교적 잘 알려지지 않은 사실이지만, 골룸이 'my precious'라고 말할 때와, 'my Precious'라고 말할 때 그 대상이 다르다. 이 대상에 맞춰 교정이 이뤄진 바 있다. 물론, 이것이 한국어에 적용되기는 어려웠다.

[2] 해설 A 중 누메노르 왕가 계보:
타르칼마킬(Tar-Calmacil)의 왕위를 이어받은 왕으로 타르아르다민(Tar-Ardamin) 추가 (2004년)

『반지의 제왕』 해설에 등장하는 누메노르 왕가의 계보는 오류가 있는 것으로 오랫동안 알려져 있었다. 그러나 톨킨의 원고를 재검토하여 누락되었던 아르다민 왕이 추가됨으로써 '실제 계보'가 복원될 수 있었다.

[3] 해설 B 중 바랏두르의 붕괴에서 제3시대 종말까지의 연표:

'Éomer and Éowyn depart from/for Rohan' (2005년)

기존에는 에오메르와 에오윈이 갑자기 순간이동이라도 했는지 전투 직후 미나스 티리스에서 로한으로 돌아가 있었는데, 이것이 전 치사가 잘못 옮겨진 것임이 밝혀져 '에오메르와 에오윈이 로한으로 (for) 떠난다'라고 정정되었다.

[4] 호빗 가계도 추가 (볼저, 보핀, 샘와이즈 가계도) (2004년)

개정판에는 기존의 호빗 가계도에 무려 세 가계도가 추가되었다. 그러나 기존 번역본은 이것이 반영된 적이 없었다. 이번 개정을 통해 마침내 한국어 번역본에서도 이 가계도가 반영되었다.

지금까지의 『반지의 제왕』 한국어 역본은 모두 2004~2005년 교정이 반영되기 이전의 판본을 기반으로 한 것들이었다. 그러므로, 이 판본이 적용된 역본이 출간되는 것은 이번이 처음이다. 무려 15년 만의 교정 적용이라 하겠다. 그런데 이 개정의 '사소한' 난점이 있었다. 그것은 바로 '교정 내역'에서 개정 사항 목록 말미에 '기타 개정 내역이 더 있었음'이라고 써놓았다는 것이다. 그래서 이번 번역 교정 당시, 개정된 책은 직접 비교해가면서 추가 개정 사항들이 무엇인지 점검해야 했다.

마지막으로 『실마릴리온』의 경우에도 1980~1990년대에 출판된 『끝나지 않은 이야기』와 『가운데땅의 역사서』에 근거하여 일부분이 정정된 바 있다. 예컨대 누메노르 왕가의 계보가 처음으로 『실마릴리온』에서 정정된 것도 이 시점이다. 그러나 현재까지의 『실마릴리온』 번역본은 이 교정이 반영되어 있지 않았으며, 이번 개정을 통해 반영될 예정이다.

Ⅵ. 단어의 통일성

『반지의 제왕』에 등장하는 단어들은 톨킨의 다른 책에도 그대로 등장한다. 문장 자체가 인용될 때도 있다. 앞서 언급한 대로, 하나의 대상을 지시하는 단어가 다양한 경우도 흔하다. 그래서 이들을 반드시 점검해야 했다. 점검은 두 가지 경우가 있었는데, 하나는 '기존에 번역된 고유어들을 점검하는 것'과, '고유어 번역이 수정된 경우 다른 책에서도 점검 가능하도록 기록하는 것'이었다.

그런데 고유어가 너무 많아서 이 일이 만만치 않다는 것이 문제였다. 또한 『반지의 제왕』 내적으로는 번역상 문제가 없었다가 『실마릴리온』까지 살필 때 문제가 발생하는 경우도 있었다. 예컨대, 앞서 설명한 'the Wise'는 『실마릴리온』에서는 '지혜자들'이라고 번역된 바 있으나, 『반지의 제왕』에서는 같은 의미의 단어임에도 '현자들' 정도로 번역되어 왔다. 또한 'loremaster'라는 단어의 경우, 『반지의 제왕』 내에서는 곤도르 국가의 전승을 연구하는 학자 정도의 의미로 그치지만, 『실마릴리온』에서는 요정, 누메노르 및 기타 왕국들에서 각기 고유한 직책으로 뜻이 폭넓어지며, 특히 '도리아스'라는 요정 왕국에서는 'chief loremaster'라는 고유어가 함께 등장한다.

마치며

위 사항들 이외에도 『반지의 제왕』 내에서만 수천 개의 교정 내역이 있다. 다만, 교정 설명의 상당 부분이 단어의 번역에 치중되어 있는 것은, 단어 번역 이외의 항목들이 대부분 '저마다의 사정에 따라' 이뤄지며 일괄적 규칙이 없기 때문이기도 하다. 단어 번역 못지 않게 문장에 대한 재검토도 세밀하게 진행되었다.

사실 어찌나 많은 교정이 있었는지, 어떤 곳은 문단 전체가 새롭게 탈바꿈하기도 했다. 짐작하건대 기존의 번역본만 접한 독자들에게는 이번 역본은, 설령 결말을 모두 기억하더라도, 새로운 책을 읽는 것에 버금가는 즐거움이 있지 않을까 기대하게 되었다. 물론, 이것이 기존의 번역을 고리타분하게 여기거나 무시했다는 의미는 전혀 아니다. 이전과 지금의 번역자들이 똑같기에 오히려 기존 번역이 최대한 존중되는 방향으로 진행되었다는 말이 더 사실에 가까울 것이다.

아직도 빈역자들은 번역이 '완벽'과는 멀다고 말한나. 그럼에도 불구하고, 필자는 이번 교정본이 오랫동안 정정되지 못한 채 남아있었던 오역들과 제멋대로였던 역어들을 정리하고 원문의 최신 교정을 처음으로 반영하였기에 대단한 발전이며 특히 일관성과 가독성이 훨씬 개선되었다 생각한다. 또한 이번 번역은 여러 단어와 표현들을 재점검하여 향후 출판될 톨킨 책들의 번역본에서 혼란의 요소를 최소화하고 작업 속도를 향상시킬 수 있으리라 기대하고 있다.

개정 번역된
용어

개정 번역용어 원칙

아래에 언어별 음차 규칙을 정리해 소개한다. 이 규칙은 역본 검토자들의 다년간의 톨킨 언어 연구에 의해 만들어진 것이며, 향후 출간될 모든 톨킨문학선에도 적용될 것이다.

변경 원칙은 주로 『반지의 제왕』 해설 E의 자음 및 모음 항목에 근거를 두고 있으나 여기에서는 생략한다. 원칙 중 일부는 바로 앞 장인 '개정판 편집의 원칙과 세부내용'에서 찾아볼 수 있다. 아래에는 자주 나타나는 자모 조합에 대한 규칙 예시를 제시하여 이해를 도왔고, 주요한 단어 목록은 이이지는 개정 번역용어 목록에서 찾아볼 수 있다.

음차 대상은 크게 양분된다. 하나는 톨킨이 만든 인공 언어로서, 신다린(및 숲요정 방언), 퀘냐, 크후즈둘(난쟁이어), 아두나이어, 암흑어, 공용어(및 호빗 방언), 로한어, 던랜드어, 엔트어가 포함되며, 이들은 모두 『반지의 제왕』에서 그 예시를 찾을 수 있다. 다른 하나는 톨킨이 '번역하여' 사용한 옛 유럽 언어 혹은 그로부터 기원한 합성어로, 북부 사람들의 언어를 갈음하는 고대영어, 고대노르드어, 고트어, 웨일스어 등이 해당된다. 여기서는 그중 가장 빈도수가 높은 신다린, 퀘냐, 난쟁이어, 고대영어(로한어 번역어)를 중심으로 설명하였다.

1. 신다린

1) 신다린 ae, oe는 영어의 ai, oi와 유사하지만 같은 소리가 아니다.

이것은 해설 E에 제시된 설명이 영어 화자를 대상으로 쓰였기 때문에 생긴 약간의 오해였다.

Daeron 다이론 → 다에론

Nen Hithoel 넨 히소엘 (변경 없음)

2) 신다린 어두의 i+모음은 구개음이다.

최초 번역시(예문판) 해설 E를 고려하지 않았을 때는 올바로 음차되었으나, 오히려 그 후에 수정될 때(씨앗판) 요정어 규칙의 이해에 부족함이 있어 잘못 표기되었던 경우이다.

　Ioreth 이오레스 → 요레스

3) 신다린의 ng가 비음[ŋ] 뒤에 유성 연구개 파열음[g]을 따르는 것은 ng 뒤에 r, l, w가 이어지는 경우에만 해당한다. 이들을 제외한 자음 앞에 ng가 올 경우 g가 소리를 갖지 않는다.

이 규칙은 『반지의 제왕』 해설 E에는 톨킨이 적시하지 않았으나 톨킨의 다른 기록에서 찾아볼 수 있다. 동명의 영화 〈반지의 제왕〉에서도 같은 방식의 발음을 찾아볼 수 있다.

　Angband 앙그반드 → 앙반드
　Angmar 앙그마르 → 앙마르

4) 신다린 f가 n 앞에 올 때 v 발음이 난다.

어말 위치뿐 아니라, n 앞에 올 때도 v 발음이 난다.

　Lefnui 레프누이 → 레브누이

5) 신다린 ch[χ]는 'ㅋ'으로 표기한다.

이 발음의 표기에 대한 긴 토론이 있었지만, 기존 표기를 유지하였다. 이와 관련된 내용은 아래의 2. 퀘냐 1)번 항목을 함께 참조.

　Orch 오르크 (변경 없음)

2. 퀘냐

1) 퀘냐 ht에서 h의 표기는 'ㅎ'으로 통일한다.

옛 퀘냐에서 무성 구개수 마찰음[ç-χ]은 제법 흔했으나, 『반지의 제왕』의 배경이 되는 시대에 이르러서 망명 요정들 사이에서는 이 발음이 대부분 성문 마찰음[h]으로 바뀌었다. 다만 ht 자음 조합의 경우 h는 여전히 무성 구개수 마찰음을 유지하였다. 이 발음에 대해 'ㅎ'과 'ㅋ'의 표기가 공존하였으나, 퀘냐의 변화가 대체로 'ㅎ[h]'을 향하고 있음을 고려하여 'ㅎ'으로 통일해 표기하기로 결정하였다. 신다린에도 [ç-χ]에 해당하는 ch가 있지만 똑같이 변경하지는 않았다.

Telumehtar 텔루메크타르 → 텔루메흐타르

tehta 테흐타 (변경 없음)

2) 퀘냐의 y는 자음으로, 구개음[j]을 나타낸다.

퀘냐의 y가 모음으로 취급되어 잘못 표기된 사례가 있었다. 반대로 신다린에서 모음인 y를 구개음으로 착각하여 잘못 표기된 경우도 있다. 이는 앞 장에 소개된 '에뉘드(Enyd)'이다.

tyelpetéma 튀엘페테마 → 텔페테마

Tar-Minyatur 타르미뉘아투르 → 타르미냐투르

3) 퀘냐의 qu

qu는 띄고 뗄 수 없는 기음이다. 신제로 q정어를 저는 문자 체계 '텡과르'에서 한 글자에 해당한다(텡과르 문자표의 4번). 이외에도 한 글자로 적는 자음들은 한글로 음차할 때도 되도록 한 음절 내에 적었다.

Alqualonde 알쿠알론데 → 알콸론데

3. 난쟁이어

난쟁이어의 th와 kh는 기식음이 있는 파열음, 즉 단일 자음에 해당하지만, 성문음 h를 별개의 음소로 표기하였다. 이것은 과거 판본에서도 같은 원칙이었으므로 이번 교정에는 이를 통일 적용하는 작업을 하였다.

    Bundushathûr 분두샤수르 → 분두샤트후르

    Shathûr 샤수르 → 샤트후르

4. 로한어

『반지의 제왕』에 등장하는 대부분의 로한어는 '번역된' 고대영어에 해당하므로 인공어를 겨냥한 해설 E의 설명이 통하지 않는다. 그러므로 고대영어(로한어) 단어는 고대영어의 발음법을 기반으로 음차해야 한다. 그러나 과거 판본에서 일부 고대영어 단어들은 요정어로 오인되어 음차가 오기된 경우가 있었다. 따라서 해당 단어들을 고대영어 음차로 바꾸는 작업을 하였다.

    다만 고대영어 합성어에서 마찰음의 유성음화 여부를 쉽게 판단할 수 없어, 고대영어 전문가인 옥스퍼드 대학의 마크 애더톤(Mark Atherton)과 UCLA 대학의 돈카 민코바(Donka Minkova)에게 자문을 구하였다. 이를 바탕으로 합성어의 경우 합성을 하기 전의 발음을 유지한다는 규칙을 적용하였다. 아래는 이 규칙에 따라 수정된 단어들이다.

    Léofa[leova] 레오파 → 레오바

    Hasufel[hazufel] 하수펠 → 하주펠

    Scatha[shaða] 스카사 → 샤다

5. 공통

1) l의 표기

한글에서 l과 r을 구분하는 오래된 방식은 받침을 사용하는 방법이다. 이를 일관되게 적용해야 한다고 보고 이번에 통일하였다. 이미 l이 어중에 오는 절대 다수의 단어가 받침을 넣어주는 것으로 음차되어 있기 때문에, 어긋나는 것만 변경하였다. 『반지의 제왕』에서는 공교롭게도 그 단어가 이미 음차가 잘 알려진 로스로리엔(→ 로슬로리엔, Lothlórien)인 점이 꺼려졌지만, 일관성을 해치지 않는 것이 더 중요하다는 결론을 내렸다.

2) 무성음 r과 l의 표기

특히 요정어에는 무성음의 r과 l에 해당하는 hr 및 hl(퀘냐), rh 및 lh(신다린)의 음소가 있다. 하지만 이를 한글로 표기하기에는 매우 어려우며, 후기의 요정어에서 단순한 r과 l로 바뀌는 추세가 있으므로, r과 l처럼 음차하기로 하였다. 다만 이 발음은 설대 다수가 어두에 나오며, 어중에 올 경우 거의 해당되지 않는다.

hrívë 흐리베 → 리베 : 어두의 무성음 r

Glirhuin 글리루인 → 글리르후인 : 어중이므로 무성음 r이 아니다.

ohlon 올론 : 어중에 오는 무성음 l의 유일한 예시로 생각된다.

개정 번역용어 목록

새로운 역어에 낯설 독자들을 위해, 이 책에 개정된 역어의 목록을 싣는다. 단어별로 짧게나마 개정된 이유도 적었다. ( ) 안의 작은 글자는 과거 판본에서 사용되었거나 쓰지 않기로 한 역어들이다.

> **지침 이란?**
> 톨킨이 단어의 번역에 대해 적어 둔 문헌(Nomenclature of the Lord of the Rings). 국내에서 '톨킨의 번역 지침'으로 불린다. 『반지의 제왕』 50주년판 직후 출간된 『Lord of the Rings: A Reader's Companion』에서 전문을 볼 수 있다.

· **가녘말** Stock (스톡) 샤이어 구렛들 북쪽의 도시. 가장자리에 있는
  마을이란 뜻. 같은 뜻의 고어 한국어로 옮김.

· **가녘말개울** Stock-brook (스톡 개울) 가녘말 참조.

· **가녘말길** Stock Road (스톡길) 가녘말 참조.

· **가빌가트홀** gabilgathol (가빌가솔) 벨레고스트의 난쟁이어 이름.
  난쟁이어 th를 분리된 음소로 표기.

· **가우르호스** Gaurhoth (가우로스) 늑대인간들. Gaur의 집합복수.
  신다린 어중 rh는 무성음 rh에 해당하지 않으므로 음소를 분리함.

· **각루(角樓)** bastion (요새) 서양 성의 축조 형태에서 성벽의 일부를
  바깥쪽을 향해 돌출하게 만든 구조물. 한국의 성 축조 형태에서 성
  벽의 모서리에 세운 방어시설물을 '각루'라 하여 이를 차용함.

· **갈빛네** Brown (브라운) 호빗 성씨. 샘와이즈의 가계도 참조.

· **갈빛머리네** Brownlock (브라운록) 호빗 성씨. 골목쟁이네 가계도
  참조.

· **감시탑** Tower of Guard (수호탑 등 통일되지 않음) 미나스 티리스의
  백색탑을 부르는 다른 이름.

· **감옥굴** Lockholes (감옥) 샤이어 큰말의 창고를 이용해 죄수를 가
  두게 만든 곳. 원어의 느낌을 다소 살려봄.

· **강노루 공** Master of the Hall (홀공) 노릇골의 수장. 강노루 집안
  의 지도자. 강노루 저택 참조.

· **강노루 저택** Brandy Hall (브랜디 홀) **지침** 번역할 것 권고.

· **거들리섬** Girdley Island (없음) 이번 판본에서 처음으로 샤이어
  지도를 번역. 특별한 의미가 없어 음차.

· **거명할 수 없는 대적** Nameless Enemy (이름 모를 적 등 통일 필요) 사
  우론.

· **검은 누메노르인(왕의 사람들)** Black Númenóreans(King's Men) (왕

군) 『실마릴리온』에서 '왕의 사람들'로 옮겨졌기에 통일함.

· **고블린**　goblin (도깨비, 오르크)　『호빗』의 고블린은 『반지의 제왕』에서는 오르크로 주로 불린다. 『호빗』에서 고블린으로 음차하였으므로 이를 따라 통일.

· **골짝네**　Diggle (없음)　호빗 성씨. 원서 50주년판에서 새로 들어간 볼저 가계도에 등장.

· **골풀섬**　Rushy (없음)　이번 판본에서 처음으로 샤이어 지도를 번역.

· **골풀습지**　Rushock Bog (없음)　이번 판본에서 처음으로 샤이어 지도를 번역.

· **관문의 수장**　Warden of the Keys (통일 필요)　곤도르의 직책. 정확한 역할은 알 수 없음.

· **구렛들**　Marish (마리쉬)　지난 역본에서 정해졌으나 간혹 통일이 되지 않아 수정.

· **구슬라프**　Guthláf (구스라브)　로한 사람. 세오덴 왕의 기수. 로한어는 신다린의 끝음 f 규칙에 따르지 않음.

· **귀리말**　Oatbarton (없음)　이번 판본에서 처음으로 샤이어 지도를 번역. 북둘레에 있는 마을.

· **그물성좌**　Netted Stars (그물 모양의 성좌)　뗌비니느. 고ᄊ명 ㅣ영ᅀ로 다듬음.

· **글리르후인**　Glirhuin (글리루인)　신다린 어중 rh는 무성음 rh에 해당하지 않아 음소를 분리함.

· **금동이네**　Goldworthy (골드워시)　호빗 성씨. 강노루네 가계도 참조.

· **금어초**　snap-dragon (금붕어꽃)　골목쟁이집 정원의 꽃. Antirrhinum majus.

· **길라엔**　Gilraen (길라인)　두네다인의 일원. 아라고른의 어머니. 신다린 ae 음차 수정.

· **끝숲**　Woody end (우디 엔드)　샤이어의 지명. 초록언덕 지방부터 구렛들까지 걸쳐 있는 고지대 숲.

· **끝숲마을**　Woodhall (우드홀)　샤이어의 지명. 끝숲 동쪽 끝에 있는 호빗 주거지.

· **나팔바위**　Hornrock/ the Rock (암반)　나팔산성이 세워진 바위. 헬름협곡의 구조를 재분석 후 용어 정리.

· **난쟁이들의 저택**　Dwarrowdelf (난쟁이굴)　뜻은 굴이 맞지만 톨킨이 의도적으로 만든 단어이므로 그에 맞는 저택으로 변경함.

· **난쟁이어**　Dwarvish (난쟁이족의 언어)　간결하게 다듬음.

· **날렵한발**　Lightfoot (빠른발)　세오덴의 말 스나우마나의 아비. Firefoot과 번역어가 겹쳐 수정.

· **날렵한발네**　Lightfoot　호빗 성씨. 원서 50주년판에서 새로 들어간 볼저 가계도에 등장.

· **네둘레**　Farthings (파딩)　샤이어의 행정구역. 동둘레, 서둘레, 남둘레, 북둘레로 나뉜다. 네 방위를 이르는 토박이말. 인터넷 팬 투표 결과로 선정됨. 다른 후보로 면, 리, 녘, 마실이 있음.

· **노릇골 문**　Buckland Gate (노릇골 성문)　북문 및 울타릿문과 같은 곳을 가리킴. 성이 아니므로 정정함.

· **눈내강**　Snowbourn (눈내, 스노번)　번역을 하나로 통일.

· **님로델개울**　Nimrodel (님로델강)　강보다 개울에 가까워 수정함.

· **다에론**　Daeron (다이론)　신다르 요정. 싱골의 음유시인이자 전승학자. 신다린 ae 음차 수정.

· **대적**　Enemy (적)　사우론을 가리키는 단어인 대문자로 시작하는 Enemy의 번역을 수정.

· **대해**   Great Sea/ Sea (바다)   가운데땅 서부 해안 서쪽의 대양을 이르는 말. 대문자로 시작되는 Sea도 해당되므로 모두 찾아 '대해'로 수정.

· **던랜드인**   Dunlending/ dunlendish (던렌딩)   특정 민족을 뜻하는 어미들은 모두 번역하였으므로 통일하고 거주지인 던랜드와의 철자 유사성을 높임.

· **돌 암로스의 대공**   Prince of Dol Amroth (돌 암로스의 왕자)   임라힐의 호칭. 본문 중 곤도르의 작위를 나타내는 Prince는 모두 '왕자'에서 '대공'으로 변경.

· **돌굴**   Standelf (없음)   이번 판본에서 처음으로 샤이어 지도를 번역.

· **돌수레 골짜기**   Stonewain Valley (돌마차 골짜기)   채석장에서 돌을 나르는 수레가 다니는 길이었으므로 '마차'에서 '수레'로 변경.

· **동마크**   East-mark (동쪽 변경)   로한의 동쪽 절반. 엔트강과 눈내강의 동쪽 지역. 서쪽 절반은 서마크 West-mark라 부른다. 수도 에도라스 주변은 동마크와 서마크에 포함되지 않는 특별 구역. 『끝나지 않은 이야기Unfinished Tales』 참조.

· **두물머리**   Angle (앵글)   흰샘강과 큰물소리강 사이에 있는 지역 및 로리엔에 있는 지역.

· **드왈링**   Dwaling (없음)   이번 판본에서 새흐르노 사이이 시노를 빈역. 둔둘레 북쪽에 있는 마을.

· **디르하엘**   Dírhael (디르하일)   두네다인의 일원. 길라엔의 아버지. 신다린 ae 음차 수정.

· **땅굴네**   Tunnelly (터널리)   호빗 성씨.

· **땅딸보**   Lumpkin (럼프킨)   톰 봄바딜의 조랑말 이름. lump는 크고 뚱뚱하고 둔한 사람이나 동물을 가리킨다. 조랑말들 가운데서 살집이 훨씬 두툼해서 옆으로 딱 바라진 체격일 것으로 이해됨.

· **뚱보** Fatty (패티) 볼저네 프레데가 및 봄바딜의 조랑말 땅딸보의 별명. 토론 후 모두 번역하기로 함.

· **라그두프** Lagduf (라그두브) 오르크 이름. 암흑어이므로 신다린의 끝음 f 규칙에 따르지 않음.

· **란트히르** Lanthir (란시르) 신다린 la(n)t+sir의 합성어로, t와 h는 개별 음소로 생각됨.

· **레브누이** Lefnui (레프누이) 곤도르 남부의 강. 신다린 n 앞의 f는 v 발음.

· **레오바** Léofa (레오파) 로한 왕 브륏타의 별명. 로한어 음차 수정.

· **로슬로리엔** Lothlórien (로스로리엔) l의 받침표기 통일. 신다린.

· **로한 관문** Gap of Rohan (로한지구대, 로한지구, 로한관문, 로한의 계곡, 로한 협곡) 에리아도르에서 로한으로 넘어가는 길목. 안개산맥과 백색 산맥 사이에 뚫린 평지. 오래전부터 번역이 어려웠던 단어이다. 가장 간명한 것을 택함.

· **로한고원** Wold (우올드) 로한 최북부의 가축 방목 초지. 음차에서 번역으로 변경.

· **론드 다에르** Lond Daer (론드 다이르) 과슬로 강 하구의 항구. 신다린 ae 음차 수정.

· **리베** hríve (흐리베) 임라드리스 책력. 퀘냐 무성음 r 음차 수정

· **마술/ 사술** sorcery (마법) 마법사Wizerd와 마술사sorcerer를 혼동하면 안 되는 이유와 동일. 좋지 않은 목적으로 행해지는 것을 가리킴.

· **마술사** sorcerer (마법사) 마술사왕(나즈굴 대장)을 가리키는 단어이거나, 좋지 못한 마술을 부리는 사람을 이른다. 마법사Wizard와 혼동될 수 있어 변경.

· **맑은림강** Limlight (림라이트강) 지침 뒤쪽 요소 번역하라. Light는 bright,

clear의 뜻으로 쓰였다.

· **머위네 보리아재**　Barliman Butterbur (발리맨 버터버)　지난 역서에
도 보리아재로 바꾸었으나 통일이 되어 있지 않아 정리. 별명인 발
리Barley도 이에 따라 '보리'로 변경.

· **메아르 종**　mearas (메아라 종)　로한 말의 혈통. 메아라스Mearas의
단수형은 메아르mearh.

· **모두쓰기 표기법**　full mode/ mode of full writing (완전한 필기)　텡
과르 표기법 중 하나. 모음을 (테흐타가 아니라) 텡과르로 적는 것. 좀
더 알기 쉬운 역어를 고민함.

· **모르굴 고개**　Morgul Pass (모르굴 통로)　보다 정확한 용어로 수정.

· **모르굴 도로**　Morgul-road/ Morgul-way (모르굴 가도)　오스길리
아스에서 바랏두르로 이어지는 길. 좀더 명확한 단어로 변경 및
통일.

· **모르굴의 칼/단검**　Morgul-knife (장검)　프로도를 상처 입힌 나
즈굴의 단검(길고 가늘다). 지난 역본에 장검으로 잘못 번역된 곳
수정.

· **묵은포도원**　Old Winyards (올드위냐드)　샤이어의 지명 및 술 상표.
Old Vineyards의 고어형이다. vineyard는 포도원(밭)을 뜻하고,
거기에 오래된(old)의 뜻을 더해 '묵은밭'을 연상하며 '묵은포
도원'으로 한다. 오늘날의 'winery'(포도주 양조장)와는 구별될 필요
가 있음.

· **믈강**　Water (워터강)　샤이어의 강. 아주 오랫동안 번역이 어려웠던
단어. 물의 고어형인 '믈'을 사용하여 고유명사 느낌을 주었다. 이
전에 그냥 '강'으로 번역된 곳도 찾아서 살려줌.

· **믈골짜기**　Water-valley (워터골짜기)　믈강 참조.

· **밀가루옹심이**　Flourdumpling (번역어 없음)　하얀발네 윌 시장의 별

명. dumpling은 원래 수프에 넣어 먹는 새알심(옹심이)을 뜻하는데 밀가루에 지방을 쉬어 빚는다. 치즈 같은 것을 섞기도 함. 이전 판본에서 번역이 생략.

· **바늘구멍** Needlehole (없음) 이번 판본에서 처음으로 샤이어 지도를 번역.

· **바람마루** Weathertop (폭풍산) 신다린으로 아몬 술. 이전 판본에서 바뀐 용어지만 간혹 본문에서 '폭풍산'이 발견되어 정리함.

· **바람산맥** Weather Hills (폭풍산맥) '폭풍산'을 '바람마루'로 바꾸었으므로 '폭풍산맥'도 '바람산맥'으로 변경.

· **받침/ 긴 받침** carrier/ long carrier (짧은 받침 글자/ 긴 받침) 역어를 간명하게 정리함. 요정문자 텡과르에서 모음을 올리게 되어 있는 글자. 요정어로 telko/ anda-telko.

· **발라의 금제(禁制)** Ban of valar (통일 필요) 누메노르인들이 자신의 땅이 보이지 않는 곳까지 서쪽으로 항해하는 일과 불사의 땅에 발을 들이는 것을 금지한 명령.

· **발크호스** balchoth (발코스) 곤도르에 쳐들어온 동부인 무리를 이르는 말. 서부어 balc+신다린 hoth.

· **밧줄골** Tighfield (타이필드) 샤이어의 밧줄 제작자들이 사는 동네.

· **밧줄장이** Roper (밧줄 만드는 사람. 줄타기꾼) 밧줄 만드는 장인 호빗들을 부르는 말. 이전 역본에서 뜻이 오인된 곳이 있었음.

· **방벽대로** Causeway (둑길) 오스길리아스로 이어지는 대로.

· **방벽대로의 요새** Causeway Forts (둑길 요새) 방벽대로를 방비하는 요새.

· **백색성수** White Tree (흰 성수. 백색나무) 곤도르에 심어진 특별한 나무.

· **백색회의** White Council/ Council of the Wise (신성회의) 백색회

의의 구성원을 '현자들the Wise'이라 부름.

· **버들골짝** Willowbottom (없음) 이번 판본에서 처음으로 샤이어 지도를 번역. 인근의 '툭지구'보다 작은 마을.

· **벗지개울** Budgeford (벗지포드) 볼저 가문의 주거지가 있는 마을. **지침** 벗지를 음차하고 개울을 번역하다.

· **베루시엘 왕비** Berúthiel (Queen) (베루시엘 여왕) 곤도르 타란논 팔라스투르 왕의 부인이므로 '여왕'을 '왕비'로 정정.

· **분두샤트후르** Bundushathûr (분두샤수르) 구름머리봉, 파누이돌의 난쟁이어. 카라드라스, 켈레브딜과 함께 안개산맥 세 봉우리 중 하나. 난쟁이어 th 음소 분리 표기.

· **브륏타** Brytta (브릿타) 로한 11대 왕. 음차 수정.

· **비닛하랴** Vinitharya (비니사랴) 발라카르 왕의 아들. 음차 수정.

· **사슬갑옷** mail (of ring) (미늘갑옷) 역사적으로 반지의 제왕 시대 갑옷은 대부분 사슬갑옷일 것으로 추측됨.

· **사자의 길** Path of the Dead (넋의 길) 간혹 통일이 되지 않은 곳이 있어 정리함.

· **산아래왕국** Kingdom under the Mountain (산밑왕국) 에레보르. 『호빗』과 역어 통일.

산아래왕국 왕/ 산아래왕 King(s) under the Mountain (산밑왕국의 왕) 에레보르의 왕. 『호빗』과 역어 통일.

· **삼각지** gore (삼각주) 로리엔의 나이스Naith. 삼각주라는 지리용어보다는 삼각지(三角地)가 더 유사하여 변경.

· **삼거리마을** Waymeet (웨이밋) 샤이어 지도에 Waymoot으로 표기되었으나 본문에는 현대화된 Waymeet. **지침** 의미에 의해 번역하라.

· **상고대** Elder Days (옛 시대, 1시대) 주로 제1시대First age 또는 4시대 이전의 시대들을 모두 아울러 말함.

· **새벽없는 날** Dawnless Day (동트지 않은 날) 3시대 3019년 3월 10일. 고유명사 느낌으로 수정.

· **새울** Nerwbury (없음) 이번 판본에서 처음으로 샤이어 지도를 번역.

· **샘터집** Wellinghall (웰링홀) 나무수염의 집. 지침 번역하라.

· **샤다** Scatha (스카사) 용 이름. 고대영어의 sc는 현대 영어의 sh이며 th는 유성음.

· **샤이어강** Shirebourn (없음) 이번 판본에서 처음으로 샤이어 지도를 번역.

· **서녘** West (서쪽) 발리노르, 불사의 땅, 아득한 서녘the Uttermost West. 문맥에 따라 단순한 방위 또는 서쪽나라(누메노르)와 구분하여 역어를 정돈함.

· **서부변경** West-march(es) (서부 변경) 아도른 강과 아이센 강 사이 삼각 땅. 로한의 변경 지역에 해당하므로 역어는 바꾸지 않고 고유명사화하여 띄어쓰기만 붙임.

· **선렌딩** Sunlending (없음) 아노리엔의 로한어. 지침 번역하지 말라.

· **성실이네** Goodenough (없음) 호빗 성씨. 원서 50주년판에서 새로 들어간 보핀 가계도에 등장.

· **세둘레 경계석** Three-farthing Stone (삼파딩 경계석) 네둘레 참조.

· **세상의 둘레** Circles of the World (세상의 영역) 불사의 땅을 포함한 세계와 '바깥 공허' 사이의 경계. 또는 아르다를 그 밖의 공간과 구분 지을 때 쓰는 말. 좀 더 명확한 단어를 고르고자 하였음.

· **수링궤실** Thuringwethil (수링웨실) 1시대 사우론의 전령. 신다린 thurin+gwath의 합성어. 음차 수정. 『실마릴리온』에 등장.

· **숲요정** Silvan Elves/ Silvan fork/ Wood-elves (숲의요정) '숲의요정'보다 더 고유명사 느낌이 나게 변경.

· **숲허리** Narrows of the Forest (애로(隘路)) 어둠숲 가운데쯤 숲의 다른 부분보다 잘록한 부분. 과거 역본에서 '애로'라 불렀으나 길이 아님.

· **스카리** Scary (스케어리) 샤이어 동둘레의 작은 마을. 바위 언덕들에 둘러싸여 있다. 지침 번역하지 말라. 다만 영어 방언 scar(바위 절벽)의 요소를 포함했다 하여 발음 표기를 수정.

· **시렁/ 시렁집** Flet (플렛) 탈란Talan. 로슬로리엔의 나무에 매단 평평한 판자 모양의 주거형태. 평평한 건물 구조에 해당하는 단어 중 본문에 잘 어울리는 것으로 변경.

· **신다린** Sindarin (신다르어) 회색요정어. 원래 단어의 음차형이 더 널리 알려져 있으므로 변경함. 퀘냐 단어.

· **아득한 서녘** Uttermost West (서쪽끝) 발리노르, 불사의 땅을 가리킴.『실마릴리온』과 역어 통일.

· **아라하엘** Arahael (아라하일) 두네다인의 2대 족장. 신다린 ae 음차 수정.

· **아로드** Arod (아로드,아롯) 로한의 말 이름. 일관되게 통일.

· **아에글로스** Aeglos (아이글로스) 길갈라드의 창. 신다린 ae 음차 수정.

· **이엘루인 호수** Aoluin (타른,아익루인) Tarn은 신다린이 아니라 영어 '작은 호수'. ae음차 수정.

· **안보른** Anborn (안본) 이실리엔의 유격대원. 신다린 r 음차 수정

· **암흑군주** Dark Lord (암흑의 군주) 사우론. 고유명사이므로 간명하게 다듬음.

· **암흑시대** Dark Days (암흑의 시대) 제2시대 후반 사우론이 활약하던 시대를 말함. 고유명사이므로 간명하게 다듬음.

· **암흑의 권능** Dark Power (악의 세력, 암흑의 세력) 사우론. 대문자로

쓰인 Power는 아이누에게 붙는 수식이므로 권능으로 수정. 『실마릴리온』 참조.

· **암흑의 권능(북쪽에서 온)**   Dark Power (of the North) (암흑의 힘)   멜코르. 대문자로 쓰인 Power는 아이누에게 붙는 수식이므로 권능으로 수정. 『실마릴리온』 참조.

· **암흑의 그림자**   Black Shadow (통일 필요)   나즈굴이 불러일으키는 질병. 깨지 못하는 잠에 빠져 어두운 꿈 속을 헤매게 됨. '암흑의 입김'과 같은 말.

· **암흑의 성문**   Black Gate (암흑의 성문, 검은 문, 암흑의 문 등)   모르도르의 입구 모란논을 말함. 통일되어 있지 않아 원서에서 검색 후 통일.

· **암흑의 입김**   Black Breath (통일 필요)   나즈굴이 불러일으키는 질병. 깨지 못하는 잠에 빠져 어두운 꿈 속을 헤매게 됨. '암흑의 그림자'와 같은 말.

· **앙마르**   Angmar (앙그마르)   안개산맥 북쪽 끝에 있었던 왕국. 마술사왕이 다스렸다. 신다린 ng 음차 수정.

· **앙반드**   Angband (앙그반드)   멜코르의 요새. 신다린 ng 음차 수정.

· **앙보르**   Angbor (앙그보르)   라메돈의 영주. 신다린 ng 음차 수정.

· **앙하바르**   Anghabar (앙그하바르)   에코리아스의 철 광산. 신다린 ng 음차 수정. 『실마릴리온』에 등장.

· **액막이숲**   Bindbale wood (없음)   이번 판본에서 처음으로 샤이어 지도를 번역.

· **앨프위네**   Elfwine (엘프위네)   로한 사람 이름. 에오메르의 아들. 고대영어 Ælfwine 음차 수정.

· **억센터**   Hardbottle (하드보틀)   북둘레의 조임띠 집안Bracegirdles의 주거지. 돌,바위들을 파서 만들거나 돌,바위로 세운 견고한 주

거지를 뜻함.

· **언덕위 마을** Overhill (오버힐) 샤이어의 지명.

· **언덕지기네** Underhill (언더힐) 호빗 성씨. 프로도가 브리에서 가명으로 사용한 적 있음.

· **에뉘드** Enyd (에니드) 신다린 오노드(=엔트)onod의 복수형. 신다린 y는 원순모음이다.

· **에오레드** eored (통일 필요) 로한의 편제에서 군대를 헤아려 묶는 한 단위. 과거 판본에서 뜻이 오인되거나 다른 단어로 바뀌어 있어 다시 정리.

· **에튼계곡** Ettendales (에튼데일) `지침` eten 'troll, ogre' 유지, 뒷부분 번역.

· **에튼황야** Ettenmoors (에튼무어) `지침` eten 'troll, ogre' 유지, 뒷부분 번역.

· **엔데레들** Enderi (엔데리) 가운뎃날. 임라드리스 책력에서 한 해 중 가운데의 날(들). '엔데리'가 복수형이라 단수형 '엔데레'를 기준으로 옮기기로 함. 퀘냐 단어.

· **엔트강** Entwash (엔트워시강, 엔트개울) `지침` 엔트 이외의 요소 번역하라. 'wash'는 골짜기나 들에 흐르는 물줄기인 '개울'이 어울리나 자주 등장하는 주요한 위치의 하천이므로 간결하게 '강'으로 번역.

· **엔트여울** Entwade (엔트웨이드) `지침` 엔트 이외의 요소 번역하라. 'wade'는 개울을 건너듯 밟고 속이 옅은 길에 행하이는 '여울'.

· **엘로스 타르미냐투르** Elros Tar-Minyatur (엘로스 타르미뉴아투르) 퀘냐 y 음차 수정.

· **여행식(요정의 여행식)** waybread of the Elves (길양식, 렘바스) 렘바스를 가리킴. 통일되어 있지 않아 정리.

· **오소리집네** Brockhouse (오소리집, 벽돌집) 호빗 성씨. 통일되어 있지 않아 정리.

· **오흐타르** Ohtar (오타르, 오크타르) 기사. 이실두르의 종사. 퀘냐 ht

81

· **왕의 북성**　Norbury of the Kings (북성, 왕의 북쪽 요새)　영어명 번역을 하나로 통일. 다른 말로는 사자의 둔덕, 포르노스트 에라인.

· **외따른숲골**　Derndingle (데른딩글)　'dern'은 '눈길에 띄지 않게 후미지거나 외진'의 뜻이고, 'dingle'은 '수목이 우거진 작은 협곡'.

· **요레스**　Ioreth (이오레스)　신다린 어두 i+모음 음차 수정.

· **요를라스**　Iorlas (이올라스)　베르길의 친척. 신다린 어두 i+모음 음차 수정.

· **요정**　Elder Kindred/ Elder People/ Elder Race/ Elves (통일 필요)　요정을 가리키는 다양한 단어들이 간혹 오인되어 옮겨진 경우가 있어 정정.

· **우묵골**　Combe (쿰)　브리 근방 마을 이름. 웨일스어 어원에서 옴. **지침** 번역하라.

· **우묵배미**　Deephallow (없음)　이번 판본에서 처음으로 샤이어 지도를 번역.

· **우오즈(들)**　Wose(s) (우오세)　드루아단의 야인들. 음차 수정.

· **울짱지기네**　Hayward (헤이워드)　호빗 보안관 홉의 성씨.

· **원(遠)하라드**　Far Harad (먼하라드)　하라드의 남쪽 지역. 하라드는 신다린으로 '남쪽'이라는 뜻임. '근(近)하라드'와 짝을 맞추어보았음.

· **원형 요새 아이센가드/ 아이센가드의 원형 요새**　Ring (of Isengard) (통일 필요)　문맥에 따라 '원형 벽', '원형 평원'으로 번역을 다듬었음.

· **은물길강**　Silverlode (은강, 실버로드)　켈레브란트의 공용어 이름.

· **작은말**　Little Delving (없음)　이번 판본에서 처음으로 샤이어 지도를 번역.

· '장인' 쿠루니르   Curunír 'the Man of Skill' (달인(達人))   사루만의 다른 이름 '쿠루니르'의 뜻풀이를 '장인'으로 통일.

· 전승학자/ 전승의 대가   Loremaster (학자, 학식있는, 현자)   오랜 시간 토론한 역어 중 하나. 『실마릴리온』에서 사용된 '전승의 대가' 표현을 살리고, '전승학자'를 추가하였다. 옛 지식을 익히고 전승했던 학자들을 가리킴.

· 정원사네   Gardener (가드너)   호빗 성씨. 샘와이즈의 자손들 성이 '감지'에서 '정원사'로 바뀌었다. 음차에서 번역으로 변경.

· 죽음늪   Dead Marsh (죽음의 늪)   간결하게 정리.

· 착실이네   Goodchild (굿차일드)   호빗 성씨. 샘와이즈의 가계도 참조.

· 채석골   Quarry (없음)   이번 판본에서 처음으로 샤이어 지도를 번역.

· 첫째자손   Firstborn (통일 필요)   요정들을 가리키는 말. 『실마릴리온』참조.

· 쳇숲   Chetwood (쳇우드)   **지침** 쳇은 음차, 뒷부분은 번역하라.

· 초록섬   Greenholm (그린홀름)   샤이어의 마을 이름.

· 초록언덕 지방   Green Hill Country/ Green Hills (그린 힐)   샤이어의 만 지역.

· 초록언덕   Green Hills (그린 힐즈)   곤도르의 핀나스 겔린Pinnath Gelin.

· 친족분쟁   Kin-strife (왕가의 알력, 왕가의 내분, 종족 분쟁)   곤도르 왕가 계승을 두고 일어난 내전. 3시대 1432~1447. 역어를 정리하고 통일.

· 칼렌하드   Calenhad (칼레나드)   곤도르의 여섯째 봉화대. 신다린에는 nh 음소가 없으므로 수정.

· **칼리메흐타르**   Calimehtar (칼리메크타르)   퀘냐 ht 음차 수정.

· **칼벼랑**   Long Cleeve (롱클리브)   샤이어의 마을 이름. 산지와 바위가 많은 북둘레North Farthing에 있음. 'Cleeve'는 고대영어로 벼랑이나 산을 뜻함.

· **콩이랑밭**   Bamfurlong (밤펄롱)   매곳 농부의 밭. bean+furlong의 합성어로 'bean'은 '콩', 'furlong'은 논밭을 길쭉하게 구획한 경작지이니 '이랑'으로 옮김.

· **크릭구렁**   Crickhollow (크릭홀로)   **지침** Crick은 두고 뒷부분은 번역하라. hollow는 땅이 조금 움푹 꺼진 곳을 뜻하기에 저지(低地)도 가능하지만 입말 느낌이 나는 '구렁'을 선택함.

· **크헬레드자람**   Kheled-zâram (켈레드 자람)   난쟁이어 kh를 분리된 음소로 표기.

· **테흐타**   tehta (모음 부호)   요정 문자 체계의 일부. 음차하는 것이 이해에 더 유리하므로 변경. 퀘냐.

· **텔루메흐타르**   Telumehtar (텔루메크타르)   인명 및 별자리(오리온). 퀘냐 ht 음차 수정.

· **토비 영감**   Old Toby (늙은 토비)   나팔수네 토볼드의 별명. 이름일 경우 '토비 영감'으로, 담배 상표를 가리킬 경우 '토비영감'으로 띄어쓰기로 구분.

· **툭네 제론티우스**   Took, Gerontius (게론티우스)   라틴어적 호빗 이름이지만, 영어 발음으로 음차하는 것이 적절할 것.

· **툭마을**   Tookbank (없음)   이번 판본에서 처음으로 샤이어 지도를 번역. 인근의 '툭지구'보다 작은 마을.

· **툭지구**   Tuckborough (턱보로)   툭 집안의 거주지. 이곳에 큰스미알이 있다. 'borough'는 도시의 특정 지구, 자치구 등을 의미. 더 이해하기 쉬운 단어로 번역.

· **파수언덕**   Hill of Guard (성곽)   아몬 티리스Amon Tirith. 미나스 티리스가 건설된 언덕을 가리킴.

· **(방죽의) 파열구(破裂口)**   the breach of (of the Dike) (터진 곳)   헬름 방죽에서 협류가 흘러나가는 틈. 헬름협곡의 구조를 재분석 후 용어 정리.

· **판트하엘**   Panthael (판사엘, 판사일)   신다린 pant+sael의 합성어. 톨킨이 직접 이 단어의 t와 h를 각각 텡과르 자음으로 표기하였으므로(텡과르에는 th 글자가 별도로 있다) th 발음이 아니라는 증거가 됨.

· **펜마크**   Fenmarch (펜마치)   단어의 원래 형태 펜마크Fenmark에 따라 음치하라는 지침을 반영.

· **펠라로프**   Felaróf (펠라로브)   로한의 말 이름. 로한어는 신다린의 끝음 f 규칙에 따르지 않음.

· **평탄한터**   Nobottle (없음)   이번 판본에서 처음으로 샤이어 지도를 번역. 샤이어 서둘레에 있는 마을.

· **폴짝새마을**   Pincup (없음)   샤이어에 있는 마을. 샤이어 지도에만 나옴. 이번에 새로 번역.

· **푸른용 주막**   Green Dragon (청룡정)   이 단어만 샤이어의 다른 단어와 동떨어진 느낌을 주어 한자어 대신 고유어로 변경.

· **프네알니프**   Frealáf (프레알라프)   로한 사람. 로한어는 신다린의 끝음 f 규칙에 따르지 않음.

· **피리엔펠드**   Firienfeld (피리엔 요새)   요새가 아니라 산 위의 평지임.
    지침 번역하지 말라.

· **필멸의 땅**   mortal lands (통일 필요)   서녘(불사의 땅)과 대비되는 모든 지역. 가운데땅.

· **필멸의 인간**   mortal men (통일 필요)   불사의 종족인 요정에 대비해서 인간을 이르는 말.

· **하주펠** Hasufel (하수펠) 로한의 말 이름. 음차 수정.

· **한련** nasturtian (금련화) 골목쟁이집 정원의 꽃. Tropaeolum majus.

· **헤더** heather/ling (히스) 이전까지 '히스'로 옮겨졌으나, 톨킨은 히스(에리카 속)와 헤더(칼루나 속)를 구분하였으므로 나누어 표기함.

· **헤더발가락** Heathertoes (히스발가락) 브리 사람 성씨. 달리는조랑말 여관에 등장. 헤더 참조.

· **헬름 방죽** Helm's Dike (헬름 방벽) 참호처럼 적과 맞서 싸울 진지 역할을 한다는 점을 감안하고 헬름 성벽과의 변별성을 꾀하여 '방죽'을 선택.

· **현자들** Wise (마법사, 지혜자들) 대문자로 시작될 경우 엘론드, 갈라드리엘, 키르단, 마법사들 등 백색회의 구성원들을 가리킴. 단순한 '현자'나 '마법사'로 번역된 곳이 있어 정정함.

· **협곡 성벽** Deeping Wall (헬름 성벽) 나팔산성에서 시작하여 헬름협곡 입구 전체를 막는 일자형 성벽. 헬름협곡의 구조를 재분석 후 용어 정리.

· **협곡(의) 분지(盆地)** Deeping Coomb (헬름 계곡) 주위보다 낮은 넓은 저지대라는 점을 감안하여 분지(盆地)를 택했음. 헬름협곡의 구조를 재분석 후 용어 정리.

· **협로(峽路)** narrows (없음) 아글라론드에서 협곡으로 나가는 좁은 통로. 헬름협곡의 구조를 재분석 후 용어 정리.

· **협류(峽流)** Deeping stream (헬름강) 협곡에서 발원하는 강. 헬름협곡의 구조를 재분석 후 용어 정리.

· **호른** Horn(혼) 로한 사람 이름. 음차 수정.

· **황금네** Goold (굴드) 호빗 성씨. 강노루네 가계도 참조.

· **황금농어** Golden Perch (황금횃대)   샤이어의 여관-주막. 지침에
  단어의 뜻이 상세히 밝혀져 있어 수정.

· **회색망토** Greyhame (그레이함, 회색의)   로한에서의 간달프의 별
  명. 로한어 grég-hama(회색외투)를 현대화한 형태. 기존 번역에서
  'Gandalf the Grey'와 'Gandalf Greyhame'을 동일하게 '회색의 간
  달프'로 옮겼기에 정정.

· **히사에글리르** Hithaeglir (히사이글리르)   안개산맥. 신다린 ae 음차
  수정.